ÉTAT DE L'ÉVOLUTION DE LA SITUATION FINANCIÈRE
NOUVELLE PERSPECTIVE

ÉTAT DE L'ÉVOLUTION DE LA SITUATION FINANCIÈRE
NOUVELLE PERSPECTIVE

2e édition

ANNE FORTIN
en collaboration avec Marc CHABOT

1990
Presses de l'Université du Québec
Case postale 250, Sillery, Québec   G1T 2R1

Ont également participé à la préparation de cet ouvrage :

Ghislaine TRÉPANIER
Carl PETITGREW

ISBN 2-7605-0590-1

Tous droits de reproduction, de traduction
et d'adaptation réservés © 1987, 1990
Presses de l'Université du Québec

Dépôt légal — 2e trimestre 1990
Bibliothèque nationale du Québec
Bibliothèque nationale du Canada
Imprimé au Canada

TABLE DES MATIÈRES

OBJECTIF DE L'ÉTAT DE L'ÉVOLUTION DE LA SITUATION FINANCIÈRE

L'état de l'évolution de la situation financière rend compte des activités d'exploitation, de financement et d'investissement de l'entreprise, ainsi que de l'incidence de ces activités sur les fonds dont elle dispose (*Manuel de l'ICCA*, 1540.01). Il a pour but de répondre à diverses questions que les utilisateurs des états financiers se posent relativement à la gestion financière de l'entreprise, par exemple:

— Quelle est la part de bénéfice qui constitue des rentrées de fonds?

— Quelle est la part des rentrées brutes de fonds liées à l'exploitation qui a été investie dans le fonds de roulement?

— L'entreprise dispose-t-elle de suffisamment de fonds provenant de l'exploitation pour investir dans de nouvelles immobilisations? Ou doit-elle plutôt obtenir des fonds par du financement externe?

— À quels instruments financiers l'entreprise a-t-elle eu recours?

— L'entreprise distribue-t-elle en dividendes des fonds dont elle dispose réellement ou puise-t-elle les fonds nécessaires aux distributions à même son capital en réalisant une partie de ses actifs?

Certaines de ces questions pourraient être résolues partiellement à partir du bilan, de l'état des résultats et de l'état des bénéfices non répartis, et à l'aide des informations contenues dans les notes aux états financiers. Toutefois, en mettant en relief les activités d'exploitation, d'investissement et de financement importantes de l'entreprise, l'état de l'évolution de la situation financière permet d'étudier l'incidence de ces activités de façon globale et d'évaluer leurs interrelations. Cet état représente donc un complément aux autres états financiers tout en fournissant certains renseignements différents.

De plus, beaucoup plus qu'auparavant, l'état met en évidence l'incidence des activités d'exploitation sur les liquidités de l'entreprise et sur la portion de ces liquidités qui est investie dans la variation du fonds de roulement. En effet, depuis septembre 1985, la signification du terme « fonds » employé dans l'état de l'évolution de la situation financière a été modifiée: il ne s'agit plus d'étudier l'incidence des opérations de l'entreprise sur le fonds de roulement, mais bien l'incidence des opérations sur les liquidités de l'entreprise.

AXE CENTRAL DE L'ÉTAT

Depuis la fin des années 70, les analystes financiers se préoccupent davantage des liquidités dont l'entreprise dispose. Tant aux États-Unis qu'au Canada, leurs associations se sont prononcées en faveur de l'abandon d'un état de l'évolution de la situation financière axé sur le fonds de roulement pour le remplacer par un état axé sur les liquidités. Plusieurs raisons justifient cet abandon:

■ Le fonds de roulement englobe un ensemble de comptes et il peut être difficile pour un utilisateur peu averti d'interpréter l'incidence des activités de financement et d'investissement de l'entreprise sur ce montant global. Le fonds de roulement peut également être confondu avec l'encaisse.

■ Le fonds de roulement est composé d'éléments dont la liquidité est variable: les stocks et les comptes clients sont en effet moins liquides que l'encaisse et les prêts remboursables à demande.

■ Une partie des liquidités de l'entreprise est investie dans des éléments du fonds de roulement, tels les stocks, les frais payés d'avance et les comptes clients. Des liquidités sont dégagées par les avances reçues des clients et par les comptes fournisseurs. L'étude des mouvements dans ces comptes est importante comme en témoigne la faillite de la compagnie W.T. Grant en 1975. Celle-ci croula sous le poids de ses stocks alors que son fonds de roulement était positif et relativement stable; les fonds absorbés par l'exploitation étaient en fait compensés par une augmentation démesurée des stocks.

■ Un autre motif justifiant cet abandon est le manque de comparabilité que son utilisation engendre. En effet, l'évaluation du fonds de roulement est sensible aux différents principes comptables qui sont utilisés d'une entreprise à l'autre pour la comptabilisation d'un même élément. Le fonds de roulement est aussi influencé par les évaluations subjectives inhérentes au processus comptable. Par exemple, les entreprises ont le choix entre deux méthodes de comptabilisation des travaux en cours et entre plusieurs méthodes de comptabilisation des stocks; l'évaluation de la provision pour créances douteuses résulte d'estimations faites par le comptable; l'évaluation des stocks produits par l'entreprise est influencée par les ventilations de différentes charges, tels les frais généraux. De plus, comme les éléments inclus dans le fonds de roulement diffèrent d'une entreprise à l'autre, la comparabilité en est altérée.

Pour ces différentes raisons, l'état de l'évolution de la situation financière est maintenant axé sur l'analyse de l'incidence des activités de l'entreprise sur ses liquidités (*Manuel de l'ICCA*, 1540.04).

Par ailleurs, le nouveau chapitre 1540 du *Manuel de l'Institut canadien des comptables agréés* (que nous appellerons désormais le *Manuel*) spécifie que les liquidités sont constituées des espèces et des quasi-espèces, celles-ci incluant normalement l'encaisse et les placements à court terme déduction faite des emprunts à court terme (*Manuel*, 1540.03). Toutefois, selon les particularités de l'entreprise, les liquidités peuvent s'étendre à d'autres éléments du fonds de roulement, tels les comptes clients, les stocks et les comptes fournisseurs. Le *Manuel*, dans le but de tenir compte des spécificités de chaque entreprise, permet l'inclusion d'autres éléments du fonds de roulement dans les liquidités s'ils équivalent à des espèces (par exemple, les stocks, les comptes clients, les comptes fournisseurs). Puisque les éléments qui composent les liquidités peuvent différer d'une entreprise à l'autre ou d'un secteur d'activité à l'autre, le *Manuel* exige que ces éléments soient précisés dans l'état de l'évolution de la situation financière (*Manuel*, 1540.06).

Il faut noter que l'application des nouvelles recommandations du chapitre 1540 constitue une modification de présentation d'un état financier et non une modification de conventions comptables (*Manuel*, 1540.13). Dans un tel cas, le paragraphe 1506.05 du *Manuel* suggère que les états présentés à des fins de comparaison soient repris en tenant compte des nouvelles règles de présentation.

Δ de présentation → E/F pour comparaison doivent être redressés

INTITULÉS APPROPRIÉS POUR L'ÉTAT

L'intitulé « état de l'évolution de la situation financière » actuellement utilisé pour l'état est toujours approprié puisque son but est toujours de fournir des renseignements sur les diverses activités de l'entreprise qui ont une incidence sur sa situation financière. Toutefois, étant donné que c'est l'effet de ces activités sur les liquidités ou la trésorerie de l'entreprise qui est maintenant analysé, les libellés suivants pourraient aussi être utilisés (*Manuel*, p. 281):

— État des mouvements de trésorerie
— État de l'évolution des liquidités
— État des ressources et emplois

PRÉSENTATION DES ÉLÉMENTS COMPOSANT L'ÉTAT

L'état de l'évolution de la situation financière présente les mouvements de trésorerie résultant des activités de l'entreprise selon trois catégories : les activités d'exploitation, de financement et d'investissement.

Activités d'exploitation

Les rentrées nettes provenant de l'exploitation constituent une source importante de capitaux pour l'entreprise. En effet, les liquidités que l'entreprise tire de son exploitation lui permettent de verser des dividendes à ses actionnaires, de régler ses dettes et d'investir dans des éléments d'actifs à long terme sans recourir à du financement externe. Il faut donc présenter cet élément séparément dans l'état.

Le montant des rentrées nettes provenant de l'exploitation peut être obtenu de deux façons à partir du bénéfice avant activités abandonnées et éléments extraordinaires en utilisant :

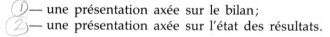

1 — une présentation axée sur le bilan;
2 — une présentation axée sur l'état des résultats.

Présentation axée sur le bilan

La présentation axée sur le bilan implique que le bénéfice avant activités abandonnées et éléments extraordinaires est retraité pour tenir compte des éléments reliés aux postes à long terme du bilan qui n'impliquent aucun mouvement des liquidités, c'est-à-dire que les produits et les gains non monétaires sont retranchés du bénéfice avant activités abandonnées et éléments extraordinaires et que les charges et les pertes non monétaires lui sont ajoutées. Le tableau ci-dessous fournit un éventail des différents retraitements qui peuvent être apportés au bénéfice avant activités abandonnées et éléments extraordinaires afin de dégager les rentrées brutes provenant de l'exploitation :

d. n'apparait pas au bilan

BÉNÉFICE AVANT ACTIVITÉS ABANDONNÉES ET ÉLÉMENTS EXTRAORDINAIRES

Ajouts ⎯ *charges ≠ liquide*
⎯ *pertes ≠ liquide*   *Déductions*

Amortissement des immobilisations corporelles et incorporelles	
Amortissement des frais reportés, y compris l'escompte et les frais d'émission d'obligations	Amortissement des produits reportés à long terme ; amortissement de la prime à l'émission d'obligations
Amortissement de la prime sur placement en obligations	Amortissement de l'escompte sur placement en obligations
Augmentation de l'impôt reporté créditeur à long terme	Diminution de l'impôt reporté créditeur à long terme
Augmentation du crédit d'impôt à l'investissement non amorti	Diminution du crédit d'impôt à l'investissement non amorti
Pertes au titre de placements à long terme comptabilisés à la valeur de consolidation	Produits au titre de placements à long terme comptabilisés à la valeur de consolidation
Dividendes reçus sur placements à long terme comptabilisés à la valeur de consolidation (de préférence à être présentés séparément)	
Dividendes de liquidation sur placements à long terme comptabilisés à la valeur d'acquisition	
Perte sur aliénation d'immobilisations corporelles et incorporelles	Gain sur aliénation d'immobilisations corporelles et incorporelles
Radiation partielle ou entière d'actifs à long terme	
Part des actionnaires minoritaires dans le bénéfice avant activités abandonnées et éléments extraordinaires (*très liquide*)	
matérialisable rapidement	
Moins-values non matérialisées (pertes sur conversion de devises étrangères)	Plus-values non matérialisées (gains sur conversion de devises étrangères)

= rentrées brutes provenant de l'exploitation ⎯▷ *suite*

Les rentrées brutes provenant de l'exploitation sont par la suite ajustées des variations dans les éléments du fonds de roulement liés à l'exploitation pour obtenir les rentrées nettes provenant de l'exploitation.

D'une part, les rentrées brutes contiennent des éléments qui ne correspondent pas à des encaissements ou des décaissements, telles les ventes non encaissées qui se trouvent dans les comptes clients en fin d'exercice et les charges non acquittées qui se trouvent dans les comptes fournisseurs au bilan. D'autre part, certaines rentrées et sorties de fonds qui ne sont pas incluses dans les bénéfices d'exploitation doivent être respectivement rajoutées et enlevées des rentrées brutes provenant de l'exploitation pour obtenir les liquidités réellement générées ou absorbées par l'exploitation. Par exemple, les sommes encaissées sur les comptes clients du début de l'exercice doivent être rajoutées aux rentrées brutes provenant de l'exploitation; les sommes payées sur les comptes fournisseurs du début de l'exercice doivent être retranchées des rentrées brutes provenant de l'exploitation.

En ajoutant ou en retranchant des rentrées brutes provenant de l'exploitation les variations dans les postes du fonds de roulement liés à l'exploitation, on ajuste automatiquement les rentrées brutes pour les produits non encaissés et les frais non encore acquittés qui sont inclus dans le bénéfice avant activités abandonnées et éléments extraordinaires, et pour les sommes encaissées ou payées sur les comptes clients et les comptes fournisseurs du début de l'année qui ne sont pas incluses dans le bénéfice.

Par exemple, une augmentation des comptes clients signifie que les produits non encore encaissés sur les ventes de l'exercice sont plus élevés que les sommes encaissées sur les comptes clients du début de l'exercice; comme ces produits de vente sont inclus dans le bénéfice, il faut enlever des rentrées brutes provenant de l'exploitation la portion qui n'a pas été encaissée, c'est-à-dire l'augmentation des comptes clients de la fin de l'exercice par rapport à ceux du début de l'exercice.

Présentation axée sur l'état des résultats

Les rentrées nettes provenant de l'exploitation peuvent aussi être obtenues en présentant distinctement dans l'état les différents éléments du bénéfice d'exploitation qui ont donné lieu à des rentrées et des sorties de liquidités. Selon cette approche, ce sont les encaissements reçus des clients et les frais d'exploitation réglés au comptant qui apparaîtront séparément dans la section de l'état réservée à la détermination des rentrées nettes provenant de l'exploitation.

Chacun de ces éléments devra être déterminé en faisant intervenir les différents postes qui y sont reliés. Ainsi, les encaissements reçus des clients seront déterminés en fonction du montant des ventes et des variations dans les comptes clients et dans les produits perçus d'avance; les sommes versées aux fournisseurs seront déterminées en fonction du coût des marchandises vendues et des variations dans les stocks et dans les comptes fournisseurs; les frais d'exploitation réglés au comptant seront obtenus en considérant les frais apparaissant à l'état des résultats (à l'exclusion des dotations à l'amortissement) ainsi que la variation dans les frais payés d'avance et les charges à payer; les impôts sur le revenu versés seront déterminés en fonction des impôts exigibles de l'exercice et de la variation dans l'impôt à payer. Le calcul des sommes encaissées ou versées peut se résumer ainsi:

Encaissements reçus des client = Produits d'exploitation

−

augmentation des comptes clients ou

+

diminution des comptes clients

+

augmentation des produits perçus d'avance ou

−

diminution des produits perçus d'avance

Sommes versées aux fournisseurs = Coût des marchandises vendues

+

augmentation des stocks ou

−

diminution des stocks

−

augmentation des comptes fournisseurs ou

+

diminution des comptes fournisseurs

Frais d'exploitation acquittés = Dépenses d'exploitation (à l'exclusion des dotations à l'amortissement sur actifs et passifs à long terme)

+

augmentation des frais payés d'avance ou

−

diminution des frais payés d'avance

−

augmentation des charges à payer ou

+

diminution des charges à payer

Activités de financement

Les fonds tirés de l'exploitation sont souvent insuffisants pour financer les activités d'investissement des entreprises. Celles-ci ont alors recours à du financement externe soit sous la forme d'emprunts, soit en émettant du capital-actions. L'état de l'évolution de la situation financière doit donc rendre compte des opérations de l'exercice relatives aux instruments financiers. Les mouvements de trésorerie découlant de ces opérations sont divulgués sous la rubrique « activités de financement » et peuvent comprendre les éléments suivants:

— émission de dettes à long terme (emprunts, hypothèques, obligations, dette relative à des baux capitalisés);

— remboursement de dettes à long terme (incluant la conversion d'obligations);

— prise en charge de dettes à long terme; *(Partie de notre dette mis en garantie)*

— émission de capital-actions;

— rachat de capital-actions;

— dividendes en espèces (en indiquant séparément les dividendes versés par les filiales à des actionnaires minoritaires).

Activités d'investissement

Afin d'assurer leur croissance future, les entreprises investissent des sommes importantes dans des actifs à long terme aussi bien corporels qu'incorporels. L'état de l'évolution de la situation financière doit rendre compte de l'utilisation des liquidités générées par l'exploitation ou par le financement externe aux fins de l'acquisition de nouveaux actifs. D'autre part, les dispositions d'actifs à long terme doivent également être détaillées, car elles représentent un désinvestissement du capital de l'entreprise. Les informations sur les mouvements de trésorerie liés aux activités d'investissement doivent être données par grandes catégories d'actifs à long terme, c'est-à-dire pour les immobilisations corporelles, les immobilisations incorporelles (incluant les frais reportés) et les placements.

POINTS PARTICULIERS

L'exposé ci-dessus a permis d'identifier les grandes catégories qui composent l'état de l'évolution de la situation financière ainsi que les principaux éléments qui y figurent. Plusieurs points particuliers restent toutefois à préciser et certaines questions de présentation doivent être abordées:

1. la présentation des activités abandonnées et des éléments extraordinaires;

2. les activités de financement et d'investissement hors caisse;

3. les opérations sans influence sur les liquidités;

4. les reclassifications au bilan entre le court terme et le long terme;

5. les particularités concernant les dividendes;

6. les possibilités de choix dans la présentation de certains éléments de l'état ou de l'état lui-même;

7. la possibilté de ne pas présenter d'état de l'évolution de la situation financière;

8. la présentation des informations concernant un regroupement d'entreprises.

1. La présentation des activités abandonnées et des éléments extraordinaires

De par leur nature, les éléments extraordinaires ne découlent pas des activités *normales* de l'entreprise. Quant aux activités abandonnées, leurs résultats ne feront plus partie dans l'avenir des opérations d'exploitation de l'entreprise. Par conséquent, les résultats, les gains ou les pertes

découlant des événements extraordinaires ou reliés aux activités abandonnées sont montrés séparément à l'état des résultats. Pour le même motif,
ils seront également présentés séparément à l'état de l'évolution de la
situation financière et seront exclus des rentrées nettes provenant de
l'exploitation (*Manuel*, 1540.09).

La présentation des mouvements de trésorerie liés aux éléments
extraordinaires peut différer selon la nature du poste. Si le poste a trait à
une opération reliée aux actifs à long terme, le mouvement de trésorerie
sera présenté dans les activités d'investissement; par exemple, un dé-
dommagement reçu à la suite d'une expropriation ou la somme versée
par l'assureur suite à la destruction d'installations de l'entreprise lors
d'un incendie. Si le poste a trait à une opération reliée aux activités
d'exploitation, le mouvement de trésorerie sera montré dans les activités
d'exploitation; par exemple, le produit d'une assurance sur la vie d'un
haut dirigeant de l'entreprise ou, pour une compagnie pharmaceutique
dont les produits sont approuvés par le gouvernement, la somme versée
en règlement d'une poursuite engagée par des personnes ayant subi des
dommages par suite de l'utilisation des produits de l'entreprise.

Les mouvements de trésorerie liés aux éléments extraordinaires sont
présentés nets des versements ou encaissements d'impôts qui en résultent. Il serait approprié d'indiquer entre parenthèses le montant de la
perte (ou du gain) extraordinaire si celle-ci (ou celui-ci) diffère de la
somme encaissée ou décaissée.

Les mouvements de trésorerie reliés aux résultats des activités
abandonnées peuvent être de deux natures: ceux provenant des activités
d'exploitation des unités abandonnées pour la partie de l'exercice où elles
ont été fonctionnelles et ceux provenant des dispositions d'actifs de ces
unités. Les rentrées nettes provenant de l'exploitation sont présentées
séparément dans la section de l'état de l'évolution de la situation financière portant sur les activités d'exploitation. Les résultats d'exploitation des
unités abandonnées (nets d'impôts) sont ajustés pour tenir compte des
éléments n'affectant pas les liquidités ainsi que des liquidités investies
dans le fonds de roulement hors liquidités lié à l'exploitation des unités
abandonnées (ces ajustements pourraient être présentés par voie de
note). Les mouvements de trésorerie reliés aux dispositions d'actifs sont
présentés de façon distincte dans les activités d'investissement nets des
versements ou encaissements d'impôts s'y rapportant.

La présentation dans les activités d'exploitation des mouvements de
trésorerie liés aux activités abandonnées et aux éléments extraordinaires
pourrait être la suivante:

Activités d'exploitation

Bénéfice avant activités abandonnées et éléments extraordinaires   XXX

Éléments n'affectant pas les liquidités   XXX

Liquidités investies dans le fonds de roulement
hors liquidités lié à l'exploitation   XXX

Rentrées nettes liées à l'exploitation avant activités abandonnées
et éléments extraordinaires   XXX
Rentrées nettes liées à l'exploitation des unités d'exploitation
abandonnées   XXX
Éléments extraordinaires   XXX

Rentrées nettes liées à l'exploitation   XXX

2. Les activités de financement et d'investissement hors caisse

Certaines opérations de financement et d'investissement n'impliquent pas
de mouvements des liquidités. Par contre, comme l'état de l'évolution de
la situation financière a pour but de présenter toutes les opérations ayant
une incidence importante sur la situation financière de l'entreprise, le
Manuel exige que ces opérations hors caisse apparaissent dans l'état
comme si elles représentaient une rentrée de fonds suivie immédiatement
d'une sortie de fonds ou inversement (*Manuel*, 1540.21). Les deux aspects
de l'opération sont présentés séparément mais en utilisant un libellé qui
indique leurs relations.

Les opérations hors fonds dont l'état de l'évolution de la situation
financière doit rendre compte sont les suivantes:

— les émissions de dettes à long terme ou d'actions effectuées pour
acquérir des actifs à long terme, y compris l'acquisition de biens
financés par contrat de location-acquisition;

— l'acquisition d'un actif à long terme provenant d'une donation,
d'un échange ou de l'annulation d'une dette;

— la conversion de dettes à long terme ou d'actions privilégiées en
actions ordinaires;

— le refinancement d'une dette; le retrait d'une dette à long terme
au moyen d'un fonds d'amortissement à long terme;

— la distribution de dividendes en actions lorsque l'actionnaire a le choix de recevoir des dividendes soit en espèces, soit en actions;

— le financement de charges d'exploitation au moyen de dettes à long terme; les produits d'exploitation encaissables à long terme.

SCO 6121

(contrat à long terme, vaua etc)

3. Les opérations sans influence sur les liquidités

Les opérations suivantes ne seront pas présentées à l'état de l'évolution de la situation financière parce qu'en plus de ne pas générer et de ne pas absorber de liquidités, elles ne représentent pas des activités de financement ou d'investissement (*Manuel*, 1540.21):

— les dividendes servis uniquement en actions; *l'actionnaire n'a pas le choix*

— les fractionnements ou regroupements d'actions;

ré-évaluation d'immo (ne se fait plus)

— la création de réserves par affectation des bénéfices non répartis ainsi que les virements faits aux réserves ou à partir de celles-ci;

— les plus-values comptabilisées lors de réévaluations établies par expertise et les variations dans l'excédent de la valeur d'expertise sur le coût amorti des immobilisations réévaluées;

— la radiation du coût d'actifs à long terme entièrement amortis.

4. Les reclassifications au bilan entre le court terme et le long terme

Lorsque les fonds sont définis en termes de fonds de roulement, toute reclassification des postes du bilan entre le court terme et le long terme constitue une utilisation ou une source de fonds. Par exemple, la reclassification de la portion à court terme de la dette à long terme dans le passif à court terme constitue une utilisation des fonds dans l'année où la reclassification a lieu comme si cette portion de la dette à long terme avait été remboursée. En effet, la reclassification entraînerait une augmentation des dettes à court terme donc une diminution du fonds de roulement. S'il y avait une portion à court terme à payer au début de l'année, le paiement de celle-ci n'entraînerait pas de variation du fonds de roulement parce que le passif et l'actif diminueraient du même montant.

Lorsque les fonds sont définis en termes de liquidités, les reclassifications d'éléments à court terme dans le long terme et vice versa n'ont aucune incidence sur les liquidités car elles n'entraînent pas de sorties ou de rentrées de fonds. Toutefois, les reclassifications de placements entre le court terme et le long terme seraient présentées étant donné que les placements à court terme font partie des liquidités. La valeur comptable d'un placement antérieurement classifié dans le long terme et considéré, à la date des états financiers, comme un placement à court terme, sera présentée comme une entrée de fonds dans les activités d'investissement, et inversement.

5. Les particularités concernant les dividendes

Étant donné que l'état est axé sur les liquidités, ce sont les dividendes versés durant l'exercice qui devront être présentés à l'état. On ne tiendra donc pas compte des dividendes déclarés et non versés. Comme il a été mentionné ci-dessus, les dividendes en actions ne sont pas présentés à l'état sauf si les actionnaires avaient le choix de recevoir des dividendes soit en espèces, soit en actions. Dans ce dernier cas, les dividendes en actions ainsi que les actions émises en vertu de ces dividendes seraient indiqués dans les activités de financement.

Quant à leur présentation à l'état, les dividendes versés peuvent être classifiés soit avec les activités d'exploitation, soit avec les activités de financement, ou dans une catégorie distincte (*Manuel*, 1540.17). Une entreprise qui verse des dividendes d'une façon régulière peut présenter ceux-ci dans les activités d'exploitation : les dividendes sont alors considérés comme une charge au même titre que les intérêts versés sur les dettes. Par contre, comme la décision de distribuer des dividendes est de nature plus discrétionnaire que le paiement d'intérêts sur la dette, les dividendes versés peuvent alternativement être classés dans les activités de financement. Finalement, comme les dividendes constituent le plus souvent une distribution aux propriétaires des fonds générés par l'exploitation, les dividendes peuvent être présentés dans une catégorie distincte figurant immédiatement après les activités d'exploitation.

Les dividendes versés par les filiales à des actionnaires minoritaires doivent être indiqués séparément (*Manuel*, 1540. 12f).

6. Choix de présentation de certains éléments de l'état

Les règles de présentation des différents éléments de l'état, énoncées dans le chapitre 1540 du *Manuel* sont minimales : « les mouvements de trésorerie présentés dans l'état de l'évolution de la situation financière doivent normalement être répartis en trois catégories selon qu'ils sont liés aux activités d'exploitation, de financement ou d'investissement » (*Manuel*, 1540.18). Le choix est donc laissé aux entreprises de présenter les mouvements de trésorerie de l'exercice de la façon qu'elles jugent la plus représentative compte tenu de leurs situations particulières. Des situations où les entreprises ont des choix en matière de présentation sont présentées dans les paragraphes suivants.

Une entreprise pourrait considérer le remplacement régulier de ses immobilisations, c'est-à-dire la préservation de sa capacité de fonctionnement, comme une activité d'exploitation, classifiant les mouvements de trésorerie liés à la vente et à l'achat de ces actifs comme des produits et des charges. Toutefois, les actifs acquis en vue d'augmenter la capacité de fonctionnement et les revenus futurs seraient classifiés dans les activités d'investissement.

Comme il a déjà été mentionné, les dividendes versés peuvent être présentés de différentes façons selon qu'ils sont considérés par l'entreprise comme une charge, un instrument lié au financement ou une distribution aux actionnaires des liquidités générées par l'exploitation. Les éléments extraordinaires sont également classifiés de diverses façons selon leur nature.

L'état lui-même peut prendre deux formes différentes. Il peut être divisé en trois parties, chacune d'elles indiquant les liquidités générées et absorbées par chaque type d'activité : exploitation, financement ou investissement. Alternativement, l'état peut présenter dans un premier temps toutes les sources de liquidités en les subdivisant entre les trois catégories, soit exploitation, financement et investissement, et dans un deuxième temps, toutes les sorties de fonds en les classifiant selon qu'elles sont reliées à l'exploitation (s'il y a lieu), au financement ou à l'investissement.

La présentation des fonds générés ou absorbés par les activités d'exploitation peut également prendre différentes formes. Comme il a été indiqué précédemment, les rentrées nettes provenant de l'exploitation peuvent être obtenues à partir du bénéfice en ajustant celui-ci pour les éléments n'affectant pas les liquidités et pour les liquidités investies dans le fonds de roulement hors fonds lié à l'exploitation. Alternativement, les rentrées nettes provenant de l'exploitation peuvent être obtenues en présentant les éléments constitutifs du bénéfice qui ont donné lieu à des rentrées et à des sorties de fonds.

Cette seconde façon de présenter les liquidités provenant de l'exploitation permet de visualiser les éléments les plus importants du bénéfice ayant donné lieu à des mouvements de trésorerie. Elle permet également de distinguer certains sous-totaux significatifs, tels les décaissements effectués pour rémunérer les principaux agents économiques (salaires versés, intérêts payés, dividendes versés et impôts payés) et les décaissements effectués en vue d'assurer la préservation de la capacité de fonctionnement et l'accroissement des revenus dans le futur (frais de recherche et développement passés en charge et frais importants de réparation d'immobilisations non capitalisés).

7. Possibilité de ne pas présenter d'état de l'évolution de la situation financière

Pour une entreprise ayant peu d'activités de financement et d'investissement, il est possible que la présentation d'un état de l'évolution de la situation financière ne soit pas nécessaire. En effet, il se peut que l'information sur ces activités et leur incidence sur la trésorerie de l'entreprise puisse être donnée adéquatement par voie de note ou même qu'elle soit évidente à la lecture des autres états financiers (*Manuel*, 1540.19).

8. Présentation des informations concernant *SCO 4121* un regroupement d'entreprises

Lors de l'acquisition d'une entreprise qui entre dans le périmètre de la consolidation aux fins de la préparation des états financiers consolidés, les aspects investissement (coût de l'entreprise acquise) et financement (mode de paiement) de l'opération doivent apparaître distinctement dans leurs catégories respectives à l'état de l'évolution de la situation financière consolidé (*Manuel*, 1540.22). Les éléments hors liquidités de l'actif net acquis doivent être présentés séparément soit dans le corps de l'état, soit par voie de note (*Manuel*, 1540.22). Les mêmes informations doivent être présentées lors de la vente d'une entreprise qui était incluse dans le périmètre de la consolidation, sauf si le vendeur ne répartit pas le produit de la vente entre les divers actifs et passifs de l'entité vendue. Dans ce cas, le produit de la vente est présenté dans les activités d'investissement avec, en déduction, le montant des liquidités qui appartenaient à l'entreprise vendue (*Manuel*, 1540.22).

Dans le cas d'un regroupement d'entreprises comptabilisé selon la méthode de la fusion d'intérêts communs, les états de l'évolution de la situation financière présentés à des fins de comparaison doivent être repris comme si les deux entités avaient toujours été fusionnées (*Manuel*, 1540.23).

Exemples de présentation

A — Le 1er janvier 19X6, Cuir ltée a acquis 100 % des actions de Simili ltée dont voici le bilan sommaire:

Simili ltée
Bilan
au 31 décembre 19X5

Encaisse	20 000 $	Emprunt bancaire	18 000 $
Placements temporaires	24 000	Autres éléments du	
Autres éléments de		passif à court terme	110 000
l'actif à court terme	120 000	Passif à long terme	200 000
Immobilisations (nettes)	400 000	Avoir des actionnaires	236 000
	564 000 $		564 000 $

Le prix d'achat de Simili ltée était de 250 000 $.

1er cas: achat payé au comptant

Premier mode
de présentation:

Activités d'investissement

Acquisition de 100 %		
des actions de Simili ltée	250 000	$
Moins: liquidités de Simili ltée	26 000	
	<224 000>	$

Le détail de l'opération devrait être fourni dans une note.

Deuxième mode
de présentation:

Activités d'investissement

Acquisition de Simili ltée:

Fonds de roulement hors liquidités	10 000	$
Immobilisations	400 000	
Achalandage	14 000	
	424 000	$
Moins: Passif à long terme pris en charge	200 000	
	<224 000>	$

L'effet net de l'opération d'acquisition sur les liquidités de Cuir ltée n'est que de 224 000 $. En effet, bien que les fonds de Cuir ltée diminuent d'un montant correspondant au prix d'achat de Simili ltée, à savoir 250 000 $, les liquidités apportées par Simili ltée, soit 26 000 $, viennent compenser en partie cette diminution.

2ᵉ cas: achat réglé au moyen de l'émission d'actions ordinaires de Cuir ltée (sans valeur nominale)

La partie investissement de l'opération pourrait être présentée selon l'un des deux modes de présentation illustrés ci-dessus. La partie financement de l'opération serait présentée dans les activités de financement:

Émission d'actions ordinaires sans valeur nominale en règlement du coût d'acquisition de 100 % des actions de Simili ltée	250 000 $

Dans ce cas-ci, les liquidités augmentent d'abord du montant de l'émission des actions, soit 250 000 $, puis diminuent du montant correspondant à la valeur de l'actif net hors liquidités acquis, soit 224 000 $. L'opération entraîne donc une augmentation des liquidités de Cuir ltée, soit 26 000 $, ce qui correspond aux liquidités apportées par Simili ltée.

B — En conservant les mêmes données pour le bilan de Simili ltée, supposons que le 1ᵉʳ janvier 19X6 Cuir ltée, qui détenait 100 % des actions de Simili ltée, vend la totalité de sa participation pour la somme de 265 000 $. La vente de Simili ltée sera reflétée de la façon suivante dans l'état de l'évolution de la situation financière de 19X6:

Premier mode
de présentation :

Activités d'investissement

Vente de 100 % des actions
de Simili ltée :

Fonds de roulement hors liquidités	10 000	$
Immobilisations	400 000	
Achalandage (1)	29 000	
	439 000	
Moins : passif pris en charge par l'acquéreur	200 000	
	<239 000>	$

(1) [265 000 $ − 236 000 $ (avoir des actionnaires
de Simili ltée)]

Deuxième mode
de présentation :

Activités d'investissement

Vente de 100 % des actions
de Simili ltée :

	265 000	$
Moins : liquidités de la société vendue	26 000	
	239 000	$

Le détail sur le produit de la vente de chacun des éléments ou de chacune des catégories de l'actif net devrait être donné dans une note si le vendeur a effectué la répartition du prix de vente.

COMMENT DRESSER L'ÉTAT

Un état de l'évolution de la situation financière est généralement préparé à l'aide du bilan établi en fin d'exercice, du bilan de la fin de l'exercice précédent, de l'état des résultats de la période et de l'état des bénéfices non répartis. Des informations supplémentaires venant préciser les diverses opérations de l'exercice qui ont affecté les postes du bilan sont également nécessaires, car plusieurs opérations peuvent expliquer la variation observée dans un poste du bilan entre le début et la fin de l'exercice.

En fait, un état de l'évolution de la situation financière peut être préparé avec aussi peu qu'une balance de vérification donnant les variations dans chaque compte du bilan et une liste d'informations permettant d'analyser ces variations et fournissant le solde de début d'exercice des postes compris dans les liquidités de l'entreprise.

La préparation d'un état de l'évolution de la situation financière adoptant une présentation des rentrées nettes provenant de l'exploitation axée sur le bilan s'effectue selon les étapes suivantes:

1. a) Identification des éléments constitutifs des liquidités, détermination du total des liquidités à la fin et au début de l'exercice et établissement de la variation dans les liquidités.

   b) Préparation du squelette de l'état, c'est-à-dire inscription des trois intitulés pour les activités, soit exploitation, financement et investissement.

2. Détermination et inscription dans les activités d'exploitation du bénéfice net ou du bénéfice avant activités abandonnées et éléments extraordinaires, selon le cas.

3. Analyse des mouvements de trésorerie liés à chacune des opérations décrites dans la liste d'informations supplémentaires, et inscription immédiate des mouvements de trésorerie liés à chaque opération dans la ou les activités dont ils relèvent.

   Des comptes en T peuvent ici être utilisés pour qu'il soit possible, à la fin du processus, de s'assurer que la variation observée dans chaque poste du bilan a été entièrement expliquée.

   Les éléments n'affectant pas les liquidités qui sont rencontrés en faisant cette analyse des informations complémentaires sont immédiatement inscrits à titre de redressement du bénéfice net ou du bénéfice avant activités abandonnées et éléments extraordinaires, selon le cas.

4. Détermination et inscription dans les activités d'exploitation des variations dans les postes du fonds de roulement liés à l'exploitation.

5. Revue et analyse des variations dans tous les postes de l'actif et du passif à long terme ainsi que dans les postes de l'avoir des actionnaires dans le but de déterminer si toutes les variations qui faisaient intervenir des mouvements de trésorerie ou qui faisaient partie des éléments n'affectant pas les liquidités ont été inscrites à l'état.

6. Détermination du total des rentrées et des sorties de fonds découlant des trois types d'activités; ce total doit correspondre à la variation dans les liquidités déterminée à la première étape.

La démarche indiquée ci-dessus permet de préparer un état de l'évolution de la situation financière directement à partir des informations que l'on possède. Un processus plus long consisterait en l'utilisation d'un chiffrier.

La préparation de l'état de l'évolution de la situation financière de Miroir ltée pour l'exercice terminé le 31 décembre 19X5 illustre la démarche décrite ci-dessus.

Voici le bilan de Miroir ltée au 31 décembre 19X5 avec les chiffres correspondants au 31 décembre 19X4.

Miroir ltée
Bilans
aux 31 décembre 19X5 et 19X4

	31 décembre 19X5	31 décembre 19X4
Encaisse	6 000 $	175 000 $
Titres négociables (au prix coûtant)	0	36 000
Comptes clients (moins provision pour créances douteuses de 24 000 $ (9 600 $ pour 19X4)	522 000	312 000
Stocks	570 000	480 000
Placements permanents (au prix coûtant)	624 000	732 000
Équipements (déduction faite de l'amortissement cumulé)	2 343 600	2 040 000
Escompte à l'émission d'obligations	19 200	30 000
Total de l'actif	4 084 800 $	3 805 000 $
Découvert de banque	6 000 $	0 $
Emprunt bancaire	420 000	48 000
Comptes fournisseurs	378 000	348 000
Obligations hypothécaires (6 %)	960 000	1 200 000
Actions privilégiées (valeur nominale de 100 $) convertibles à raison d'une action privilégiée contre trois actions ordinaires	300 000	360 000
Actions ordinaires (valeur nominale de 5 $)	532 500	500 000

[Handwritten annotations in right margin:]
Δ
− 169 000
− 36 000
+ 210 000
+ 90 000
− 108 000
+ 303 600
− 10 800
+ 279 800
+ 6 000
+ 372 000
+ 30 000
Rachat de 1/5
− 240 000
Δ = − 60 000 600 act priv
Δ = + 32 500 6500 act ord
600 act priv = 1800 act ord

Prime à l'émission d'actions ordinaires	679 900	408 000 +271 900
Bénéfices non répartis	808 400	941 000 − 132 600
		+279 800
Total du passif et de l'avoir des actionnaires	4 084 800 $	3 805 000 $

Les données suivantes sont tirées de l'analyse des comptes :

1. Durant l'exercice, des comptes clients s'élevant au total à 10 250 $ ont été radiés.

2. Un gain de 95 000 $ a été réalisé sur la vente d'une partie des placements permanents.

3. Une machine dont le coût original était de 72 000 $ a été vendue au cours de l'exercice. Le produit de la vente était égal à sa valeur comptable, soit 36 000 $. La dotation à l'amortissement pour l'exercice s'est élevée à 144 000 $. Plusieurs machines ont été achetées au comptant durant l'exercice.

4. Les obligations échoient seulement le 31 décembre 19X9. Toutefois, le 31 décembre, on a racheté à 103, 240 obligations d'une valeur nominale de 1 000 $. La compagnie amortit l'escompte à l'émission d'obligations de façon linéaire. *débansé = 247 200*

5. Des actionnaires privilégiés ont obtenu 1 800 actions ordinaires par suite de l'exercice de leur privilège de conversion. Des actions ordinaires ont aussi été émises contre espèces à un prix de 52 $.

6. Les dividendes en espèces au cours de l'exercice se sont élevés à 20 000 $. *(dividendes versés)*

Solution

1. Identification des éléments qui composent les liquidités, détermination du total des liquidités au début et à la fin de la période et établissement de la variation dans les liquidités :

Variation des liquidités

	Solde du début	Solde de la fin
Encaisse	175 000 $	6 000 $
Titres négociables	36 000	0
− Découvert de banque	—	<6 000>
− Emprunt bancaire	<48 000>	<420 000>
	163 000 $	<420 000> $

Diminution des liquidités   <583 000> $

Note : Il n'y a aucun ajustement à faire au niveau des éléments n'affectant pas les liquidités pour le gain sur la vente de placements temporaires. En effet, le gain qui est inclus dans le bénéfice ou la perte de l'exercice correspond réellement à une entrée de fonds au niveau de l'encaisse. Par conséquent, le gain doit demeurer dans le bénéfice pour qu'il en soit tenu compte dans la variation des liquidités qui est calculée au bas de l'état. Il en est de même pour une perte sur la vente de placements temporaires. Dans ce cas, le placement qui faisait partie des liquidités au début de l'exercice est remplacé par une somme encaissée qui est inférieure au coût du placement, d'où l'enregistrement d'une perte. Donc, au niveau de la variation des liquidités, il y a vraiment une diminution qui correspond à la perte comptable enregistrée au niveau de la perte ou du bénéfice de l'exercice. En conséquence, il n'y a aucun ajustement à faire pour la perte sur vente de placements temporaires au niveau des éléments n'affectant pas les liquidités.

2. Détermination de la perte nette : *(ou bénéfice net)*

Bénéfices non répartis au début	941 000 $
− Dividendes versés	20 000
− Bénéfices non répartis à la fin	808 400
Perte nette	112 600 $

3. Analyse des mouvements de trésorerie liés à chacune des opérations décrites dans les informations complémentaires; analyse simultanée des éléments de la perte d'exploitation qui n'affectent pas les liquidités.

Information n° 1 : des comptes clients ont été radiés pour une somme de 10 250 $

La radiation des comptes clients n'affecte en rien les liquidités puisqu'il ne s'agit que d'un mouvement entre les comptes clients et la provision pour mauvaises créances. Comme les comptes clients sont montrés nets de la provision au bilan, la radiation n'a aucun effet sur le poste Comptes clients.

Information n° 2: vente de placements permanents

⟶▷Rentrée de fonds au niveau des activités d'investissement:

Diminution du compte placements permanents *on a transformé des actifs en argent*
(732 000 $ − 624 000 $) ⟶ ▷108 000 $ *l'actif*
Plus: gain sur vente   95 000 *l'argent*

Somme encaissée   203 000 $

Information n° 3: vente et achat d'actifs; amortissement de l'exercice

— La somme reçue pour la machine vendue figurera parmi les activités d'investissement. Il n'y a pas d'ajustement à faire au niveau des éléments n'affectant pas les liquidités puisque la machine a été vendue à sa valeur comptable. *90K*

— L'amortissement de l'équipement n'ayant occasionné aucune sortie de fonds, on doit faire un ajustement à la perte de l'exercice au niveau des éléments n'affectant pas les liquidités. L'amortissement doit venir diminuer la perte.

— La somme déboursée pour acheter d'autres machines doit figurer dans les activités d'investissement. Le montant des achats est obtenu par différence à l'analyse du compte Équipement:

	Équipement (net)		
	2 040 000 $		
		36 000 $	Disposition
Achat (par différence)	483 600	144 000	Amortissement *Cumulé*
	2 343 600 $		

Information n° 4: rachat d'obligations et amortissement de l'escompte à l'émission d'obligations

— L'amortissement de l'escompte constitue un élément n'affectant pas les liquidités. En effet, bien qu'il ait pour effet d'augmenter la dépense d'intérêts, en sus des intérêts versés, il n'entraîne pas de sorties réelles de fonds. On doit donc en tenir compte dans le calcul des rentrées brutes liées à l'exploitation. Étant donné qu'au début de l'exercice, la durée restante des obligations était de cinq ans et qu'elles ont été en circulation durant tout l'exercice, l'amortissement de l'escompte pour l'exercice est de un cinquième du solde du compte escompte au début de l'exercice, soit ⅕ × 30 000 $. Pour annuler l'effet de l'amortissement de l'escompte sur le bénéfice ou la perte de l'exercice, l'amortissement sera rajouté au bénéfice ou viendra diminuer la perte de l'exercice.

▷800 ⟶ 6000 + partie de l'escompte (47200) à amort des obli rachetés

— On doit également vérifier s'il y a eu une perte comptable enregistrée lors du rachat des obligations. Une telle perte, qui ne correspond pas à un mouvement des liquidités, doit être rajoutée au bénéfice ou venir diminuer la perte. La perte au rachat d'obligations est calculée comme suit :

Prix du rachat (1 030 $ × 240 obligations)	247 200 $
− Valeur comptable des obligations	
(1 200 000 $ − 24 000 $) × 240/1 200 obligations	235 200
Perte	12 000 $

— C'est le montant versé pour racheter les obligations qui constitue un mouvement des liquidités, c'est-à-dire 247 200 $, et c'est cette somme qui figurera comme une utilisation des fonds dans les activités de financement.

— La variation dans le compte escompte a donc été entièrement expliquée :

Escompte

30 000 $		
	6 000 $	Amortissement, car il reste cinq ans jusqu'à l'échéance : $\frac{1}{5}$ × 30 000 $
	4 800	Escompte se rapportant aux obligations rachetées
19 200 $		$\dfrac{240}{1\,200}$ × 24 000 $ = 4800 $\qquad \dfrac{(30000 - 6000)}{5}$

Information nº 5 : émission d'actions

— Le nombre d'actions émises au cours de l'exercice s'est élevé à 6 500. Ce nombre a été calculé comme suit :

augmentation du compte capital-actions ordinaires/valeur nominale des actions = (532 500 $ − 500 000 $)/5 $ l'action = 6 500

— 1 800 de ces actions ont été émises en faveur des actionnaires privilégiés qui ont converti leurs actions. La somme transférée au capital-actions ordinaires et à la prime à l'émission, soit 60 000 $, correspond à la diminution du compte capital-actions privilégiées.

— Les actions émises restantes, soit 4 700, ont été émises au comptant au prix indiqué de 52 $ l'action, donc pour une somme de 244 400 $.

— La conversion des actions privilégiées et l'émision des actions ordinaires doivent être reflétées dans les activités de financement.

Information nº 6 : les dividendes versés au cours de l'exercice, soit 20 000 $, figureront dans les activités de financement puisqu'il n'y a aucune information qui indiquerait une préférence pour une présentation alternative.

4. Détermination et inscription dans les activités d'exploitation des variations dans les postes du fonds de roulement liés à l'exploitation.

— L'augmentation de 30 000 $ des comptes fournisseurs indique qu'une partie des achats de l'exercice n'a pas été réglée. Cependant, dans la détermination de la perte de l'exercice, on a déjà tenu compte de ces achats pour lesquels aucun déboursé n'a été effectué. On doit donc venir diminuer la perte du montant des achats qui n'a occasionné aucun mouvement de trésorerie.

— L'augmentation de 210 000 $ des comptes clients indique qu'une partie des ventes n'a pas été encaissée. On doit donc venir augmenter la perte de ce montant qui n'a pas été encaissé mais dont on a tenu compte dans la détermination des revenus de vente de l'exercice.

— L'augmentation de 90 000 $ des stocks indique qu'une partie des achats de l'exercice qui a donné lieu à une sortie de fonds a été différée à l'actif. On doit donc venir augmenter la perte de cette sortie de fonds dont on n'a pas tenu compte dans la détermination de la perte d'exploitation.

5. On doit vérifier si toutes les variations dans les postes du bilan ont été analysées, et si tous les mouvements de trésorerie correspondant aux diverses opérations effectuées durant l'exercice ont été portés à l'état de l'évolution de la situation financière. Tous les comptes ont déjà été analysés sauf les comptes Prime à l'émission d'actions ordinaires et Bénéfices non répartis. Ces comptes sont conciliés ci-dessous:

Prime à l'émission d'actions ordinaires			Bénéfices non répartis	
	408 000 $			941 000 $
	220 900	Dividendes	20 000 $	
	51 000	Perte nette 2. P22	112 600	
	679 900 $			808 400 $

Émission au comptant: (52 $ − 5 $) × 4 700 actions = 220 900 $.
Conversion: 60 000 $ − (5 $ × 1 800 actions) = 51 000 $.

6. Détermination du total des rentrées et des sorties de fonds découlant des trois types d'activités, soit une diminution des fonds de 583 000 $. Cette diminution correspond à la variation des fonds déterminée à la première étape.

On doit aussi inscrire le total des liquidités au début et à la fin de l'exercice. Le détail des postes compris dans les liquidités doit être donné au bas de l'état.

Miroir ltée
État des mouvements de trésorerie
pour l'exercice terminé le 31 décembre 19X5

Activités d'exploitation

Perte nette ②   <112 600> $

Plus : Éléments n'affectant pas les liquidités
    Gain sur vente de placements #2   <95 000>
    Amortissement de l'équipement #3   144 000
    Amortissement de l'escompte sur obligations #4   6 000
    Perte sur rachat d'obligations #4   12 000

Sorties brutes liées à l'exploitation   <45 600> $

Moins : Liquidités investies dans le fonds
    de roulement hors liquidités
    Augmentation des comptes fournisseurs ④   30 000
    Augmentation des comptes clients ④   <210 000>
    Augmentation des stocks ④   <90 000>

Sorties nettes liées à l'exploitation   <315 600> $

Activités de financement

Émission d'actions (dont 60 000 $ en vertu
    de la conversion d'actions privilégiées) #5   304 400
Conversion d'actions privilégiées #5   <60 000>
Rachat d'obligations #5   <247 200>
Dividendes en espèces #6   <20 000>

Liquidités utilisées par les activités de financement   <22 800> $

Activités d'investissement

Vente de placement permanent #2   203 000
Vente de machine #3   36 000
Achat d'équipement #3   <483 600>

Liquidités utilisées par les activités d'investissement   <244 600> $

Évolution des liquidités ①   <583 000> $

Liquidités au début de l'exercice ①   163 000

Liquidités à la fin de l'exercice   <420 000> $

Les liquidités comprennent l'encaisse et les titres négociables nets du découvert de banque et de l'emprunt bancaire à court terme.

Problèmes

Notes

1. Les problèmes sont classés par ordre croissant de difficulté.

2. Pour certains problèmes une variante à la solution proposée est présentée.

PROBLÈME 1

Un trust financier, la compagnie Trusto inc., vous remet les bilans comparatifs suivants:

Trusto inc. Bilan au 31 mars 19X7 (en milliers de dollars)	19X7	19X6
Actif		
Encaisse et bons du Trésor	344 900 $	410 000 $
Prêts garantis remboursables		
sur demande	275 000	300 000
Total de l'actif à court terme	619 900 $	710 000 $
Placements en obligations	125 000	144 000
Placements en actions ordinaires	440 000	221 000
Prêts aux entreprises	220 000	—
Prêts hypothécaires	1 200 000	1 014 000
Total des placements à long terme	1 985 000 $	1 379 000 $
Autres actifs:		
Matériel de bureau (net)	45	42
Bâtiments (net)	14 000	13 500
Terrain	1 000	1 000
	15 045 $	14 542 $
Total de l'actif	2 619 945 $	2 103 542 $
Passif et avoir des actionnaires		
Comptes de chèques et d'épargne	460 000 $	510 000 $
Certificats de placement	1 800 000	1 372 000
Total du passif à court terme	2 260 000 $	1 882 000 $
Impôts sur le revenu reportés	14 400	10 100
Débentures à payer	56 000	44 000
Actions ordinaires	60 000	18 000
Actions privilégiées	35 000	20 000
Bénéfices non répartis	194 545	129 442
Total du passif et de l'avoir des actionnaires	2 619 945 $	2 103 542 $

Renseignements supplémentaires

1. Le bénéfice net de l'exercice se terminant le 31 mars 19X7 a été de 95 000 000 $.

2. Les amortissements de l'exercice ont été de 10 000 $ pour le matériel de bureau et de 1 200 000 $ pour les bâtiments.

3. Les dividendes déclarés et versés au cours de l'exercice ont été de 29 797 000 $.

4. La compagnie comptabilise ses placements en actions à la valeur d'acquisition.

5. Il y a eu un rachat d'actions privilégiées : 125 000 actions à 40 $ plus une prime au rachat de 2 %. Il y avait alors 500 000 actions privilégiées en circulation.

Note : Comme Trusto inc. est un trust financier, ses liquidités ont une composition plus particulière que celles des entreprises commerciales ou industrielles. Les liquidités incluent ici tous les postes de l'actif et du passif à court terme.

Solution 1 : *Présentation des rentrées nettes axée sur le bilan*

Trusto inc.
État de l'évolution de la situation financière
pour l'exercice terminé le 31 mars 19X7
(en milliers de dollars)

Activités d'exploitation

Bénéfice net	95 000	$
Plus : Éléments n'affectant pas les liquidités		
Amortissements	1 210	
Impôts sur le revenu reportés	4 300	
Rentrées nettes provenant de l'exploitation	100 510	$

Activités de financement

Produit de l'émission de débentures	12 000	
Produit de l'émission d'actions ordinaires	42 000	
Produit de l'émission d'actions privilégiées	20 000	
Dividendes versés	<29 797>	
Rachat d'actions privilégiées	<5 100>	
Liquidités provenant des activités de financement	39 103	$

Activités d'investissement

Acquisition de matériel de bureau	<13>	
Acquisition de bâtiments	<1 700>	
Produit de la vente de placements en obligations	19 000	
Placement en actions ordinaires	<219 000>	
Augmentation des prêts aux entreprises	<220 000>	
Augmentation des prêts hypothécaires	<186 000>	
Liquidités utilisées par les activités d'investissement	<607 713>	$
Évolution des liquidités au cours de l'exercice	<468 100>	$
Liquidités au début de l'exercice	<1 172 000>	
Liquidités à la fin de l'exercice	<1 640 100>	$

Les liquidités comprennent l'argent en main et les bons du Trésor ainsi que les prêts garantis remboursables sur demande nets des comptes de chèques et d'épargne et des certificats de placement.

Note explicative

Rachat d'actions privilégiées :

Des actions ayant une valeur comptable de 5 000 000 $ furent rachetées à un prix de 5 100 000 $. Il serait incorrect de considérer la prime au rachat comme une perte à l'état des résultats étant donné la nature même de cette opération. Cette prime doit être imputée aux bénéfices non répartis (*Manuel de l'ICCA*, parag. 3240.15). Par ailleurs, il est à noter que la *Loi sur les sociétés commerciales canadiennes* stipule qu'en règle générale des actions rachetées doivent absolument être annulées. Il ne saurait donc y avoir d'actions auto-détenues.

PROBLÈME 2

Voici le bilan et l'état des résultats de Domtex ltée pour l'exercice terminé le 31 décembre 19X9:

Domtex ltée
Bilan
au 31 décembre 19X9
(en milliers de dollars)

	19X9	19X8
Actif		
Actif à court terme		
Encaisse et placements temporaires	137 $	88 $
Comptes clients (nets)	250	232
Stocks	240	205
Impôts sur le revenu à recouvrer	—	2
Frais payés d'avance	9	6
Total de l'actif à court terme	636 $	533 $
Placement en actions de XYZ Ltée	40	24
Équipement et bâtiments (net)	1 450	1 300
Terrain	80	60
Achalandage (net)	5	9
Brevet (net)	2	—
Total de l'actif	2 213 $	1 926 $
Passif		
Comptes fournisseurs	218 $	192 $
Dette à long terme	614	480
Impôts sur le revenu reportés	212	196
Avoir des actionnaires		
Actions ordinaires	470	400
Actions privilégiées	75	30
Bénéfices non répartis	604	628
Excédent de la valeur d'expertise du terrain sur son coût	20	—
Total du passif et de l'avoir des actionnaires	2 213 $	1 926 $

Domtex ltée
État des résultats
pour l'exercice terminé le 31 décembre 19X9

Ventes		2 000 $
Coût des marchandises vendues		<1 600>
Bénéfice brut		400 $
Frais de vente et d'administration	80 $	
Amortissement — équipement et bâtiments	90	
Amortissement — achalandage	4	
Intérêts débiteurs	56	<230>
Revenus de placement	16 $	
Gain sur aliénation d'équipement	4	20
Bénéfice avant impôts		190 $
Impôts exigibles et reportés		85
Bénéfice net		105 $

Renseignements supplémentaires

1. La réévaluation du terrain fut effectuée en 19X9.

2. Le placement dans XYZ ltée est comptabilisé à la valeur de consolidation. Aucun dividende n'a été déclaré par le satellite.

3. Domtex ltée a déclaré et versé des dividendes en espèces en une seule occasion au cours de l'exercice.

4. Domtex ltée a mis au rebut un actif complètement amorti au coût d'origine de 20 000 $.

5. Il y a eu vente d'équipement à profit pour un prix de 64 000 $. Un nouvel équipement a été acquis à un coût de 300 000 $.

Solution 2: *Présentation des rentrées nettes axée sur l'état des résultats*

DOMTEX Ltée
État de l'évolution de la situation financière
pour l'exercice terminé le 31 décembre 19X9

Activités d'exploitation

Encaissements reçus des clients	1 982 $
Encaissement du recouvrement d'impôts	2
Paiement des achats	<1 609>
Paiement des frais de vente et d'administration	<83>
Paiement des impôts sur le revenu	<69>
Paiement des intérêts	<56>
Rentrées nettes provenant de l'exploitation	167 $

Activités de financement

Produit de l'émission d'actions ordinaires	70
Produit de l'émission d'actions privilégiées	45
Produit de l'émission de la dette à long terme	134
Dividendes versés	<129>
Liquidités provenant des activités de financement	120 $

Activités d'investissement

Achat d'équipement	<300>
Achat de brevet	<2>
Vente d'équipement	64
Liquidités utilisées par les activités d'investissement	<238> $
Évolution des liquidités au cours de l'exercice	49 $
Liquidités au début de l'exercice	88
Liquidités à la fin de l'exercice	137 $

Les liquidités comprennent l'argent en main ainsi que les placements temporaires.

Notes explicatives

Note A: *Encaissements reçus des clients*

Comptes clients au début	232	$
Ventes	2 000	
	2 232	$
Comptes clients à la fin	<250>	
	1 982	$

Note B: *Paiement des achats*

Coût des marchandises vendues	1 600	$
Stocks à la fin	240	
	1 840	$
Stocks au début	<205>	
Achats	1 635	$
Comptes fournisseurs au début	192	$
Achats	1 635	
	1 827	$
Comptes fournisseurs à la fin	<218>	
	1 609	$

Note C: *Paiement des frais de vente et d'administration*

Frais de vente et d'administration à l'état des résultats	80	$
Plus: augmentation des frais payés d'avance	3	
	83	$

Note D: *Paiement des impôts sur le revenu*

Impôts reportés au début	196	$
Reportés et exigibles pour 19X9	85	
	281	$
Impôts reportés à la fin	<212>	
	69	$

Note E: *Dividendes versés*

Bénéfices non répartis au début	628	$
Bénéfice net	105	
Dividendes versés (par différence)	<129>	
Bénéfices non répartis de la fin	604	$

Note F: *Équipements et bâtiments*

Solde au début	1 300	$
Achat d'équipement	300	
	1 600	$
Amortissement	<90>	
Solde à la fin	<1 450>	
	60	$

L'écart de 60 000 $ représente la valeur comptable de l'équipement vendu pour 64 000 $.

La mise au rebut d'un actif complètement amorti n'a aucune incidence sur le bilan.

Note F: *Produits financiers et réévaluation du terrain*

Les placements étant comptabilisés à la valeur de consolidation, les revenus qui en résultent n'ont aucune incidence sur les liquidités. Il en va également ainsi en ce qui concerne l'excédent de la valeur d'expertise sur son coût.

PROBLÈME 3

Voici les balances de vérification de A ltée avant la fermeture des comptes au 31 décembre 19X8 et 19X9 (en milliers de dollars).

Débit	19X9	19X8
Encaisse	62 $	36 $
Comptes clients	240	200
Stocks	150	170
Frais payés d'avance	50	40
Prêts à court terme aux employés	40	—
Placement de portefeuille	120	150
Machinerie	650	500
Bâtiment	1 200	1 000
Terrain	200	200
Achalandage	90	110
Coût des marchandises vendues	800	724
Frais de recherche et développement	120	100
Intérêts débiteurs	50	40
Amortissement — achalandage	20	20
Amortissement — bâtiments	100	80
Amortissement — machinerie	36	32
Dépenses diverses	18	16
Impôts sur le revenu (dépenses)	134	126
Dévaluation d'actif — machinerie	24	—
	4 104 $	3 544 $

Crédit		
Amortissement cumulé — machinerie	320 $	300 $
Amortissement cumulé — bâtiments	200	200
Comptes fournisseurs	200	128
Emprunt bancaire à court terme	98	80
Impôts sur le revenu à payer	46	70
Portion exigible de la dette à long terme	60	50
Impôts sur le revenu reportés	80	52
Prime à l'émission d'obligations	6	5
Capital-actions ordinaires	800	700
Bénéfices non répartis	312	237
Intérêts débiteurs — amortissement de la prime sur obligations	2	2
Obligations à payer	540	450
Ventes	1 400	1 232
Autres revenus	40	38
	4 104 $	3 544 $

Renseignements supplémentaires

1. Il y a eu acquisition de machinerie à un coût de 200 000 $ et une vente à un prix de 15 000 $.

2. A ltée a également acquis un nouveau bâtiment à un coût de 325 000 $ et en a vendu un autre pour 35 000 $.

Solution 3 : *Présentation des rentrées nettes axée sur le bilan*

A ltée
État de l'évolution de la situation financière
pour l'exercice terminé le 31 décembre 19X9

Activités d'exploitation

Bénéfice net		140 $
Éléments n'affectant pas les liquidités		
Amortissement — achalandage	20 $	
Amortissement — bâtiment	100	
Amortissement — machinerie	36	
Amortissement — prime sur obligations	<2>	
Dévaluation d'actif	24	
Impôts reportés	28	
Gain — machinerie	<5>	
Gain — bâtiment	<10>	191
Rentrées brutes provenant de l'exploitation		331 $
Liquidités investies dans le fonds de roulement hors liquidités		
Comptes clients	<40> $	
Stocks	20	
Frais payés d'avance	<10>	
Prêts — employés	<40>	
Comptes fournisseurs	72	
Impôts sur le revenu à payer	<24>	<22>
Rentrées nettes provenant de l'exploitation		309 $

Activités de financement

Produit de l'émission d'obligations	153
Capital-actions ordinaires émis	100
Dividendes versés	<59>
Versements sur la dette à long terme	<50>
Liquidités provenant des activités de financement	144 $

Activités d'investissement		
Disposition de placement de portefeuille	30	$
Achat de machinerie	<200>	
Achat de bâtiment	<325>	
Produit de la vente de machinerie	15	
Produit de la vente du bâtiment	35	
Liquidités utilisées par les activités d'investissement	<445>	
Évolution des liquidités au cours de l'exercice	8	$
Liquidités au début de l'exercice	<44>	
Liquidités à la fin de l'exercice	<36>	$

Les liquidités comprennent l'encaisse nette de l'emprunt bancaire.

Notes explicatives

Note A: *Bénéfice net*

Les livres n'étant pas fermés, on doit déterminer le bénéfice net de 19X9 à partir des comptes de l'état des résultats:

Ventes	1 400 $	
Autres revenus	40	1 440 $
Coût des marchandises vendues	800 $	
Frais de recherche et développement	120	
Intérêts débiteurs (50 $ − 2 $)	48	
Amortissement — achalandage	20	
Amortissement — bâtiments	100	
Amortissement — machinerie	36	
Dépenses diverses	18	
Dévaluation d'actif	24	
Impôts sur le revenu	134	1 300
Bénéfice net		140 $

Note B: *Dividendes versés*

La variation des bénéfices non répartis s'explique par:

BNR au début	237	$
+ Bénéfice net de 19X8 (déterminé à l'aide des comptes de 19X8 comme ci-dessus)	134	
− Dividendes de 19X9	\<X\>	
BNR à la fin	312	$

$$X = 59 \text{ }\$$$

Note C: *Émission d'obligations*

Solde au début	450	$
Portion exigible	\<60\>	
	390	$
Émission	150	
Solde à la fin	540	$

Note D: *Prime à l'émission d'obligations*

Solde au début	5	$
Amortissement	\<2\>	
	3	$
Émission	3	
Solde à la fin	6	$

Donc, le produit de l'émission d'obligations est:

Valeur nominale des obligations émises	150	$
Plus: prime à l'émission	3	
	153	$

Note E: *Machinerie*

	Coût		*Amortissement cumulé*		*Valeur comptable*	
Solde au 31 décembre 19X8	500	$	300	$	200	$
Achat	200				200	
Dévaluation			24		<24>	
Amortissement			36		<36>	
Aliénation (*)	<50>		<40>		<10>	
Solde au 31 décembre 19X9	650	$	320	$	330	$

(*)	Prix	15 000	$	
	− Coût	<10 000>		
	Gain	5 000	$	Inclus dans autres revenus

Note F: *Bâtiments*

	Coût		*Amortissement cumulé*		*Valeur comptable*	
Solde au 31 décembre 19X8	1 000	$	200	$	800	$
Achat	325				325	
Amortissement			100		<100>	
Aliénation (*)	<125>		<100>		<25>	
Solde au 31 décembre 19X9	1 200	$	200	$	1 000	$

(*)	Prix	35 000	$	
	− Coût	<25 000>		
	Gain	10 000	$	Inclus dans Autres revenus

Solution 3: *Présentation des rentrées nettes axée sur l'état des résultats*

A ltée
État de l'évolution de la situation financière
pour l'exercice terminé le 31 décembre 19X9

Activités d'exploitation

Encaissements reçus de clients	1 360 $
Paiement des achats	<708>
Paiement de frais de recherche et développement	<120>
Paiement d'intérêts	<50>
Autres revenus	25
Paiement des impôts sur le revenu	<130>
Paiement de dépenses diverses	<28>
Prêts à court terme aux employés	<40>
Rentrées nettes provenant de l'exploitation	309 $

Activités de financement

Produit de l'émission d'obligations	153
Produit de l'émission d'actions ordinaires	100
Versements sur la dette à long terme	<50>
Dividendes versés	<59>
Liquidités provenant des activités de financement	144 $

Activités d'investissement

Produit de la vente de machinerie	15
Produit de la vente du bâtiment	35
Disposition de placement de portefeuille	30
Achat de machinerie	<200>
Achat de bâtiment	<325>
Liquidités utilisées par les activités d'investissement	<445> $
Évolution des liquidités au cours de l'exercice	8 $
Liquidités au début de l'exercice	<44>
Liquidités à la fin de l'exercice	<36> $

Les liquidités comprennent l'encaisse nette de l'emprunt bancaire.

Notes explicatives

Note A: *Encaissements reçus des clients*

Comptes clients au début	200	$
Ventes	1 400	
	1 600	$
Comptes clients à la fin	<240>	
	1 360	$

Note B: *Paiement des achats*

Stocks au début	170	$
Achats (par différence)	780	
	950	$
Stocks à la fin	<150>	
Coût des marchandises vendues	800	$
Comptes fournisseurs au début	128	
Achats	780	
	908	$
Comptes fournisseurs à la fin	<200>	
	708	$

Note C: *Autres revenus*

Solde indiqué	40	$
Gain inclus dans le produit de la vente de machinerie	<5>	
Gain inclus dans le produit de la vente du bâtiment	<10>	
	25	$

Note D: Paiement des impôts

Impôts à payer pour 19X9 (par différence)		106 $
Impôts reportés:		
Solde au début	52 $	
Solde à la fin	80	28
Impôts (dépenses) pour 19X9		134 $
Solde au début		70 $
Impôts à payer pour 19X9		106
		176 $
Solde à la fin		<46>
		130 $

Note E: Paiement des dépenses diverses

Dépenses diverses de 19X9	18 $
Augmentation des frais payés d'avance	10
	28 $

PROBLÈME 4

On vous présente les états financiers de Fora inc. au 31 octobre 19X2 :

Fora inc.
Bilan
au 31 octobre 19X2
(en milliers de dollars)

	19X2	19X1
Actif		
Actif à court terme		
Encaisse	8 400 $	14 000 $
Comptes clients (nets)	78 000	70 000
Stocks	30 000	24 000
Frais payés d'avance	15 000	10 000
Total de l'actif à court terme	131 400 $	118 000 $
Placement dans X inc.	14 000	12 000
Placement dans Y inc.	17 000	20 000
Machinerie (net)	80 000	70 000
Bâtiments (net)	23 000	22 000
Terrain	5 000	4 500
Achalandage (net)	80 000	85 000
Escompte à l'émission de débentures	2 000	3 000
Frais de développement capitalisés	5 000	5 000
Total de l'actif	357 400 $	339 500 $
Passif		
Passif à court terme		
Emprunt bancaire	10 000 $	30 000 $
Comptes fournisseurs	56 000	58 000
Impôts sur le revenu à payer	17 400	14 400
Total du passif à court terme	83 400 $	102 400 $
Obligations à payer	50 000	68 000
Débentures à payer	40 000	26 000
Avoir des actionnaires		
Actions ordinaires	64 000	40 000
Actions privilégiées	16 900	12 000
Bénéfices non répartis	103 100	91 100
Total du passif et de l'avoir des actionnaires	357 400 $	339 500 $

Fora inc.
État des résultats
pour l'exercice 19X2
(en milliers de dollars)

Ventes	272 000	$
Revenus de placements (pertes)	<1 400>	
	270 600	$
Coût des marchandises vendues	161 600	
Intérêts débiteurs	10 000	
Frais de vente et d'administration	17 000	
Amortissement — achalandage	5 000	
Amortissement — machinerie	8 000	
Amortissement — bâtiments	3 000	
Bénéfice avant impôts et élément extraordinaire	66 000	$
Impôts sur le revenu	30 000	
Bénéfice avant élément extraordinaire	36 000	$
Perte extraordinaire (nette d'un impôt de 8 000 $)	8 000	
Bénéfice net	28 000	$

Fora inc.
État des bénéfices non répartis
pour l'exercice 19X2

Solde au début	91 100 $
Bénéfice net	28 000
	119 100 $
Dividendes en actions	6 000
Dividendes en espèces	10 000
Solde à la fin	103 100 $

Renseignements supplémentaires

1. Le placement dans X inc. en est un de portefeuille.

2. Fora inc. détient 30 % des actions votantes de Y inc. (influence sensible). Y inc. a subi une perte de 8 000 000 $ lors du dernier exercice; elle a tout de même déclaré des dividendes de 2 000 000 $.

3. Il n'y a eu aucun remboursement des obligations à payer. Par contre, plusieurs détenteurs ont utilisé leurs droits de conversion en actions ordinaires.

4. Fora inc. a acquis dix nouvelles machines pour un prix total de 20 000 000 $. Elle a également disposé d'une machine sans gain ni perte.

5. Aucun bâtiment ne fut vendu ou autrement aliéné au cours de l'exercice.

6. La perte extraordinaire fut occasionnée par le règlement à l'amiable de poursuites intentées par les employés pour obtenir des compensations de la société suite à des blessures causées par l'effondrement d'une partie des installations minières de l'entreprise lors d'un tremblement de terre ayant eu lieu quelques années auparavant.

Solution 4 : *Présentation des rentrées nettes axée sur l'état des résultats*

Fora inc.
État de l'évolution de la situation financière
pour l'exercice terminé le 31 octobre 19X2
(en milliers de dollars)

Activités d'exploitation

Encaissements reçus des clients	264 000 $	
Encaissement — revenus de placements	1 000	
Dividendes reçus de Y inc.	600	
Paiement des achats	<169 600>	
Intérêts versés	<9 000>	
Paiement des frais de vente et d'administration	<22 000>	
Paiement des impôts sur le revenu	<27 000>	
Rentrées nettes provenant de l'exploitation avant élément extraordinaire	38 000 $	
Paiement en règlement de poursuites (net d'une réduction d'impôts de 8 000 $)	<8 000>	30 000 $

Activités de financement

Actions ordinaires émises par suite de la conversion des obligations	18 000 $	
Obligations converties	<18 000>	
Produit de l'émission de débentures	14 000	
Produit de l'émission d'actions privilégiées	4 900	
Dividendes versés	<10 000>	8 900

Activités d'investissement

Achat de machinerie	<20 000> $	
Achat de bâtiment	<4 000>	
Augmentation du placement dans X inc.	<2 000>	
Achat de terrain	<500>	
Produit de la disposition de machinerie	2 000	<24 500>

Évolution des liquidités au cours de l'exercice		14 400 $
Liquidités au début de l'exercice		<16 000>
Liquidités à la fin de l'exercice		<1 600> $

Les liquidités comprennent l'encaisse nette de l'emprunt bancaire.

Notes explicatives

Note A: *Encaissements reçus des clients*

Comptes clients au début	70 000	$
Ventes	272 000	
	342 000	$
Comptes clients à la fin	<78 000>	
	264 000	$

Note B: *Revenus de placements*

Placement dans Y inc. (à la valeur de consolidation):		
8 000 000 $ de perte à 30 %	<2 400>	$
Autres revenus de placement	1 000	
Montant à l'état des résultats	<1 400>	$

Note C: *Paiement des achats*

Coût des marchandises vendues	161 600	$
Stocks à la fin	30 000	
Marchandises disponibles à la vente	191 600	$
Stocks au début	<24 000>	
Achats	167 600	$
Comptes fournisseurs au début	58 000	$
Achats	167 600	
	225 600	$
Comptes fournisseurs à la fin	<56 000>	
	169 600	$

Note D: *Intérêts versés*

Intérêts débiteurs	10 000	$
Amortissement de l'escompte	<1 000>	
	9 000	$

Note E: *Paiement des frais de vente et d'administration*

Dépenses de vente et d'administration	17 000	$
Augmentation des frais payés d'avance	5 000	
	22 000	$

Note F: *Paiement des impôts*

À payer au début	14 400	$
Impôts pour 19X2	30 000	
	44 400	$
À payer à la fin	<17 400>	
	27 000	$

Note G: *Machinerie*

Solde au début	70 000	$
Achat de machinerie	20 000	
	90 000	$
Amortissement	<8 000>	
Solde à la fin	<80 000>	
	2 000	$

L'écart de 2 000 000 $ représente le produit de la disposition de machinerie sans gain ni perte (voir renseignement n° 4).

Note H: *Conversion des obligations*

Ni gain ni perte n'est comptabilisé par suite de la conversion d'obligations et cela, peu importe le cours des actions au moment de la conversion. La valeur alors attribuée aux actions émises est exactement égale à la valeur comptable des obligations converties.

Note I: *Bâtiments*

Solde au début	22 000	$
Amortissement	<3 000>	
Solde à la fin	<23 000>	
	<4 000>	$

L'écart de 4 000 000 $ ne peut être attribuable qu'à l'acquisition de nouveaux bâtiments.

Note J: *Frais de développement*

Assez curieusement, le solde des frais de développement capitalisés n'a pas varié au cours de l'exercice. L'explication la plus plausible serait que la compagnie n'a pas encore commencé à commercialiser ou à utiliser le produit ou le procédé en question (voir *Manuel de l'ICCA*, parag. 3450.28).

PROBLÈME 5

Voici les changements survenus dans l'année se terminant le 31 décembre 19X7 aux comptes de bilan de Roto ltée (en milliers de dollars).

	Débit	Crédit
Encaisse	50 $	
Comptes clients	50	
Provision pour créances douteuses		2 $
Stocks	75	
Machinerie	55	
Amortissement cumulé — machinerie	5	
Bâtiment	100	
Amortissement cumulé — bâtiment		20
Améliorations locatives	20	
Amortissement cumulé — améliorations locatives		4
Billet à recevoir de A ltée	70	
Valeur de rachat d'une assurance-vie	1	
Achalandage		5
Escompte à l'émission d'obligations	5	
Placement en actions — Z ltée (valeur de consolidation)	12	
Comptes fournisseurs		5
Emprunt bancaire à court terme	90	
Dividendes à payer	5	
Impôts sur le revenu à payer	8	
Obligations à payer		180
Actions ordinaires		150
Actions privilégiées		96
Bénéfices non répartis		54
Impôts sur le revenu reportés		30
	546 $	546 $

Renseignements supplémentaires

1. Le bénéfice net de l'exercice s'établit à 108 000 $.

2. La compagnie Roto ltée a déclaré des dividendes en numéraire de 40 000 $ et en actions de 14 000 $.

3. L'encaisse au début de l'exercice se chiffrait à 50 000 $. L'emprunt bancaire à court terme se chiffrait à 110 000 $.

4. Les obligations ont été émises à la fin de l'exercice et ont une durée de dix ans.

5. Il y a eu achat d'une machine à un coût de 90 000 $ et vente d'une autre pour un prix de 10 000 $. Son coût original de 35 000 $ avait été amorti à 80 %.

6. La compagnie a également acquis un nouveau bâtiment pour 200 000 $ et a vendu pour 50 000 $ un bâtiment de 100 000 $, lequel était amorti à 30 %.

Solution 5 : *Présentation des rentrées nettes axée sur le bilan*

Roto ltée
État de l'évolution de la situation financière
pour l'exercice terminé le 31 décembre 19X7
(en milliers de dollars)

Activités d'exploitation

Bénéfice net		108 $		
Éléments n'affectant pas les liquidités				
Amortissement — machinerie	23 $			
Amortissement — bâtiment	50			
Amortissement — améliorations locatives	4			
Amortissement — achalandage	5			
Placement dans Z ltée	<12>			
Gain sur machinerie	<3>			
Perte sur bâtiment	20			
Impôts sur le revenu reportés	30	117		
Liquidités investies dans le fonds de roulement hors liquidités				
Comptes clients (nets)	<48> $			
Stocks	<75>			
Comptes fournisseurs	5			
Impôts sur le revenu à payer	<8>	<126>	99 $	

Activités de financement

Produit de l'émission d'obligations		175 $	
Produit de l'émission d'actions ordinaires		136	
Produit de l'émission d'actions privilégiées		96	
Dividendes versés		<45>	362

Activités d'investissement

Augmentation de la valeur de rachat d'une police d'assurance-vie	<1> $	
Améliorations locatives	<20>	
Acquisition de bâtiment	<200>	
Acquisition de machinerie	<90>	
Billet à recevoir de A ltée	<70>	
Produit de la vente de machinerie	10	
Produit de la vente de bâtiment	50	<321>
Évolution des liquidités au cours de l'exercice		140 $
Liquidités au début de l'exercice		<60>
Liquidités à la fin de l'exercice		80 $

Les liquidités comprennent l'encaisse nette de l'emprunt bancaire.

Notes explicatives

Note A: *Variation des liquidités*

	Début	Fin
Encaisse (1)	50 000 $	100 000 $
Emprunt bancaire (2)	<110 000>	<20 000>
Liquidités	<60 000> $	80 000 $

Donc, augmentation des liquidités de 140 000 $.

(1) Encaisse à la fin = encaisse au début + augmentation du compte
  100 000 $ = 50 000 $ + 50 000 $

(2) Emprunt à la fin = emprunt au début − diminution du compte
  20 000 $ = 110 000 $ − 90 000 $

Note B: *Machinerie*

	Coût	Amortissement cumulé
Acquisition	90 000 $	
Vente (gain de 3 000 $)	<35 000>	<28 000> $
Amortissement (par différence)		23 000
Variation du compte	55 000 $	<5 000> $

Note C: *Bâtiments*

	Coût	Amortissement cumulé
Acquisition	200 000 $	
Vente (perte de 20 000 $)	<100 000>	<30 000> $
Amortissement (par différence)		50 000
Variation du compte	100 000 $	20 000 $

PROBLÈME 6

Vous possédez les renseignements suivants concernant la compagnie SCO ltée:

SCO ltée
Bilan
au 31 décembre 19X5

	19X5		19X4	
Actif à court terme				
Encaisse et dépôts à terme	196 000	$	224 000	$
Comptes et effets à recevoir	282 750		143 000	
Stocks	909 000		534 000	
Frais payés d'avance	16 000		15 000	
Total de l'actif à court terme	1 403 750	$	916 000	$
Actif à long terme				
Placement en obligations	95 200		—	
Placement dans ABC ltée	289 000		263 000	
Terrains	100 000		65 000	
Usines et édifices	276 000		355 000	
Amortissement cumulé	<172 500>		<173 000>	
Matériel	542 500		370 500	
Amortissement cumulé	<128 000>		<180 000>	
Biens loués en vertu de contrats				
de location-acquisition	42 000		42 000	
Amortissement cumulé	<16 000>		<12 000>	
Améliorations locatives	150 000		150 000	
Amortissement cumulé	<50 000>		<25 000>	
Brevet, à la valeur amortie	88 000		45 000	
Achalandage	255 000		275 250	
Total de l'actif à long terme	1 471 200	$	1 175 750	$
Total de l'actif	2 874 950	$	2 091 750	$

Passif à court terme

Dette bancaire et autres emprunts à court terme	335 000	193 000
Dû aux compagnies affiliées	80 000	—
Comptes à payer et frais courus	288 000	224 000
Impôts sur le revenu, taxes d'accise à payer	50 000	69 000
Tranche de la dette à long terme et des contrats de location-acquisition échéant à moins d'un an	14 000	14 000
Total du passif à court terme	767 000 $	500 000 $

Passif à long terme

Dette à long terme	540 000	550 000
Obligations à long terme en vertu de contrats de location-acquisition	26 500	30 500
Impôts sur le revenu reportés	53 600	35 000
Total du passif à long terme	620 100 $	615 500 $

Avoir des actionnaires

Capital-actions ordinaires	575 000	296 000
BNR non affectés	754 850	580 250
Réserve	40 000	—
Excédent de la valeur d'expertise sur le coût amorti des immobilisations	118 000	100 000
Total de l'avoir des actionnaires	1 487 850 $	976 250 $
Total du passif et de l'avoir des actionnaires	2 874 950 $	2 091 750 $

Renseignements supplémentaires

1. Le bénéfice net de l'exercice se chiffre à 242 200 $.

2. Au cours de l'exercice, SCO ltée a subi une perte de 22 090 $ sur l'expropriation d'une usine de montage. Cette perte entraînera une réduction d'impôt de 10 000 $. La valeur comptable de l'usine était de 39 000 $. La valeur comptable du terrain sur lequel l'usine était située était de 20 000 $.

3. Au cours de l'exercice, SCO ltée a dû dévaluer ses stocks pour une somme de 125 000 $.

4. SCO ltée détient 25 % des actions ordinaires de ABC ltée. Étant donné que SCO ltée est représentée au conseil d'administration de ABC ltée par deux personnes (sur cinq membres), elle possède une influence sensible sur cette dernière.

   ABC ltée a réalisé, au cours de l'exercice, un bénéfice net de 215 000 $ et a distribué des dividendes de 100 000 $.

5. Le 1er septembre, SCO ltée a fait l'acquisition d'un placement permanent en obligations pour une somme de 95 000 $. La valeur nominale de ces obligations est de 100 000 $ et elles viennent à échéance dans 8 ans à compter du 31 décembre 19 X 5. Le taux d'intérêt nominal est de 10 %. La compagnie utilise la méthode de l'amortissement linéaire.

6. SCO ltée a fait l'acquisition d'un terrain, lequel fut financé par l'émission d'actions ordinaires.

7. Le 1er juillet, la compagnie a fait réévaluer un terrain qui lui avait coûté 25 000 $. Sa valeur marchande a été établie à 55 000 $.

8. Le 31 décembre 19X4, la compagnie avait fait réévaluer une usine. Une plus-value de 100 000 $ avait alors été comptabilisée.

9. Plusieurs transactions relatives au matériel ont été effectuées au cours de l'année :
   — SCO ltée a procédé à la vente d'une partie de son matériel pour une somme de 5 000 $. Le coût et l'amortissement cumulé étaient respectivement de 70 000 $ et de 65 000 $.
   — Du matériel en mauvais état a été mis au rebut. Sa valeur comptable était de 1 000 $.
   — SCO ltée a acquis du matériel à un coût de 250 000 $. Cet achat fut financé par l'émission d'actions ordinaires.

10. Il y a quelques années, SCO ltée a loué des biens en vertu de contrats de location-acquisition. Les paiements sont exigibles le 1er janvier de chaque année et ce, pendant encore 5 ans.

11. En janvier 19X5, SCO ltée a engagé des frais d'avocats s'élevant à 50 000 $ afin de défendre son brevet. La compagnie a gagné son procès.

12. En 19X5, on a radié des comptes s'élevant à 20 000 $.

13. En juillet 19X5, le conseil d'administration autorisa la création d'une réserve pour l'expansion future d'une des usines.

14. En mars et septembre 19X5, des dividendes ont été distribués aux actionnaires ordinaires.

15. En février 19X5, la compagnie a procédé à un fractionnement de ses actions ordinaires à raison de 2 pour 1.

Solution 6 : *Présentation des rentrées nettes axée sur le bilan*

SCO ltée
État des mouvements de trésorerie
pour l'exercice terminé le 31 décembre 19X5

Activités d'exploitation

(A)	Bénéfice avant élément extraordinaire			254 290 $
	Plus : Éléments n'affectant pas les liquidités			
(B)	Quote-part des revenus dans ABC ltée	<51 000> $		
	Perte sur mise au rebut de matériel	1 000		
(C)	Amortissement — escompte sur placement en obligations	<200>		
(D)	Amortissement — matériel	20 000		
(E)	Amortissement — usine	39 500		
	Amortissement — achalandage	20 250		
	Amortissement — améliorations locatives	25 000		
(F)	Amortissement — brevet	7 000		
	Amortissement — biens loués en vertu de contrats de location-acquisition	4 000		
	Impôts sur le revenu reporté	18 600		
			84 150 $	
	Plus : Dividendes reçus de ABC ltée		25 000	109 150
	Rentrées brutes liées à l'exploitation			363 440 $

Moins : Liquidités investies dans le fonds de roulement lié à l'exploitation		
Augmentation des comptes fournisseurs et des frais courus	64 000 $	
Diminution de l'impôt sur le revenu à payer	<19 000>	
Augmentation des comptes et effets à recevoir	<139 750>	
Augmentation des stocks	<375 000>	
Augmentation des frais payés d'avance	<1 000>	<470 750>
Sorties nettes liées à l'exploitation		<107 310> $

Activités de financement

Émission d'actions ordinaires pour l'acquisition d'un terrain (25 000 $) et de matériel (250 000 $)		275 000 $
Émission d'actions ordinaires		4 000
Versement sur la dette à long terme		<10 000>
Versement en vertu d'un contrat de location-acquisition		<4 000>
(G) Dividendes versés		<39 600>
Liquidités provenant des activités de financement		225 400 $

Activités d'investissement

Acquisition d'un placement en obligations		<95 000>
Acquisition d'un terrain contre émission d'actions ordinaires		<25 000>
(H) Expropriation d'une usine et d'un terrain (compte tenu d'une perte extraordinaire de 12 090 $)		46 910
Acquisition de matériel contre émission d'actions ordinaires		<250 000>
Vente de matériel		5 000
Capitalisation — frais de brevet		<50 000>

Liquidités utilisées par les activités d'investissement	<368 090> $
Évolution des liquidités	<250 000> $
Liquidités au début de l'exercice	31 000
Liquidités à la fin de l'exercice	<219 000> $

Les liquidités comprennent l'encaisse, les dépôts à terme moins la dette bancaire et autres emprunts à court terme et la dette aux compagnies affiliées.

Notes explicatives

Note A : *Bénéfice avant élément extraordinaire*

Bénéfice net		242 200 $
+ Perte extraordinaire		
avant impôt	22 090 $	
impôt y afférent	<10 000>	
après impôt		12 090
Bénéfice avant élément extraordinaire		254 290 $

Note B : *Quote-part des revenus dans ABC ltée*

(a) Amortissement de l'achalandage d'acquisition

Bénéfices de ABC ltée	215 000 $
− Dividendes versés par ABC ltée	<100 000>
Accroissement de l'actif net de ABC ltée	115 000
× Quote-part de SCO ltée dans l'accroissement de l'actif net de ABC ltée	25 %
Accroissement de la valeur du placement dans ABC ltée	28 750 $
+ Placement — solde début	263 000
− Amortissement de l'achalandage d'acquisition	<X>
Placement — solde fin	289 000 $

$$X = 2\,750\ \$$$

(b) Quote-part des revenus dans ABC ltée

Revenus de ABC ltée	215 000	$
× Quote-part de SCO ltée	25 %	
Quote-part des revenus	53 750	$
− Amortissement de l'achalandage	<2 750>	
Quote-part des revenus ajustés	51 000	$

Note C: *Amortissement — escompte sur placement en obligations*

Escompte :	valeur nominale	100 000	$
	− coût du placement	<95 000>	
		5 000	$

Nombre de mois jusqu'à l'échéance : 100 mois

Amortissement par mois : 5 000 $/100 mois = 50 $

Amortissement de l'exercice : 50 $ × 4 mois = 200 $

Comme le démontre l'écriture ci-dessous, l'amortissement de l'escompte a pour effet d'augmenter le revenu d'intérêt par rapport aux intérêts reçus. L'amortissement doit donc être enlevé du bénéfice dans les éléments n'affectant pas les liquidités.

Caisse	10 000 $	
Placement en obligations	200	
Revenu d'intérêt		10 200 $

Note D: *Amortissement — matériel*

(a) Coût de l'actif mis au rebut

Matériel — solde du début	370 500	$
+ Acquisition	250 000	
− Coût du matériel vendu	<70 000>	
− Coût de l'actif mis au rebut	<X>	
Matériel — solde de la fin	542 500	$

$$X = 8 000 \ \$$$

(b) Amortissement cumulé sur l'actif mis au rebut

Coût de l'actif mis au rebut	8 000	$
− Amortissement cumulé	<X>	
Valeur comptable	1 000	$

$$X = 7 000 \ \$$$

(c) Amortissement

Amortissement cumulé — solde début	180 000 $
− Amortissement cumulé — matériel vendu	<65 000>
− Amortissement cumulé — actif mis au rebut	<7 000>
+ Amortissement	X
Amortissement cumulé — solde de la fin	128 000 $

$$X = 20\,000\ \$$$

Note E: Amortissement — usine

(a) Coût de l'usine vendue

Usine — solde du début	355 000 $
− Coût de l'usine vendue	<X>
Usine — solde de la fin	276 000 $

$$X = 79\,000\ \$$$

(b) Amortissement cumulé sur l'usine vendue

Coût de l'usine vendue	79 000 $
− Amortissement cumulé	<X>
Valeur comptable	39 000 $

$$X = 40\,000\ \$$$

(c) Amortissement

Amortissement cumulé — solde du début	173 000 $
− Amortissement cumulé — usine vendue	<40 000>
+ Amortissement	<X>
Amortissement cumulé — solde de la fin	172 500 $

$$X = 39\,500\ \$$$

Note F: Amortissement — brevet

Brevet — solde du début	45 000 $
+ Capitalisation des frais d'avocats engagés durant l'exercice	50 000
− Amortissement	<X>
Brevet — solde de la fin	88 000 $

$$X = 7\,000\ \$$$

Note G: *Dividendes*

(a) Amortissement de l'excédent de la valeur d'expertise
sur le coût des immobilisations

Excédent au début	100 000	$
+ Réévaluation du terrain	30 000	
− Excédent à la fin	<118 000>	$
Amortissement de l'excédent	12 000	$

(b) Dividendes

BNR — solde du début	580 250	$
− Réserve	<40 000>	
+ Amortissement de l'excédent de la valeur d'expertise sur le coût des immobilisations	12 000	
+ Bénéfice net	242 200	
− Dividendes	<X>	
BNR — solde de la fin	754 850	$

$$X = 39\,600\ \$$$

Note H: *Expropriation d'une usine et d'un terrain*

Valeur comptable de l'usine et du terrain (39 000 $ + 20 000 $)	59 000	$
− Perte extraordinaire nette d'impôts (22 090 $ − 10 000 $)	<12 090>	
Montant encaissé en tenant compte du remboursement d'impôt	46 910	$

Note I: *Perte sur dévaluation de stocks*

On pourrait tenir compte de la perte de 125 000 $ sur dévaluation de stocks dans les éléments n'affectant pas les liquidités en l'additionnant au bénéfice. Cependant, on devrait alors également en tenir compte dans la détermination de la variation des stocks au niveau des liquidités investies dans le fonds de roulement, car on a effectivement racheté des stocks pour compenser cette baisse :

Variation des stocks :

Stocks au début de l'exercice	534 000	$
− Perte sur dévaluation	<125 000>	
	409 000	$
− Stocks à la fin de l'exercice	<909 000>	
Augmentation réelle des stocks	500 000	$

Comme l'effet des deux corrections s'annule au niveau des rentrées nettes liées à l'exploitation, on peut tout simplement ignorer la perte sur dévaluation de stocks dans la préparation de l'état de l'évolution de la situation financière.

Si la perte avait plutôt été une perte sur incendie de stocks et qu'elle était présentée comme élément extraordinaire à l'état des résultats, on aurait dû en tenir compte dans la détermination de la variation des stocks au niveau des liquidités investies dans le fonds de roulement, comme illustré ci-dessus. En effet, on a réellement eu à débourser pour remplacer les stocks détruits dans l'incendie.

Si la perte sur incendie de stocks était incluse dans le bénéfice avant éléments extraordinaires, il n'y aurait pas d'ajustement à faire lors de la détermination de la variation des stocks parce que le bénéfice tiendrait déjà compte du déboursé relié au remplacement des stocks.

Solution 6 : *Présentation des rentrées nettes axée sur le bilan : variante*

SCO ltée
État des mouvements de trésorerie
pour l'exercice terminé le 31 décembre 19X5

Sources de liquidités

Investissement

Expropriation d'une usine (compte tenu d'une perte extraordinaire de 12 090 $)	46 910	$
Vente de matériel	5 000	
Liquidités provenant des activités d'investissement	51 910	$

Financement

Émission d'actions ordinaires pour l'acquisition d'un terrain (25 000 $) et de matériel (250 000 $)	275 000	
Émission d'actions ordinaires	4 000	
Liquidités provenant des activités de financement	279 000	$
Total des sources de liquidités	330 910	$

Utilisations de liquidités

Sorties nettes liées à l'exploitation (note A)   <107 310> $

Investissement

Acquisiton d'un placement en obligations	<95 000>
Acquisiton d'un terrain contre émission d'actions	<25 000>
Acquisition de matériel contre émission d'actions	<250 000>
Capitalisation — frais de brevet	<50 000>
Liquidités utilisées par les activités d'investissement	<420 000> $

Financement

Versements sur la dette à long terme	<10 000>
Versements en vertu d'un contrat de location-acquisition	<4 000>
Dividendes versés	<39 600>
Liquidités utilisées par les activités de financement	<53 600> $
Total des utilisations de liquidités	<580 910> $
Évolution des liquidités	<250 000> $
Liquidités au début de l'exercice	31 000
Liquidités à la fin de l'exercice	<219 000> $

Note A : *Sorties nettes liées à l'exploitation*

Bénéfice avant élément extraordinaire		254 290 $
Plus : Éléments n'affectant pas les liquidités		
Amortissements	115 750 $	
Impôts sur le revenu reportés	18 600	
Revenu de participation net des dividendes		
reçus de 25 000 $	<26 000>	
Autres éléments	800	109 150
Rentrées brutes liées à l'exploitation		363 440 $
Moins: liquidités investies dans le fonds		
de roulement hors liquidités		<470 750>
Sorties nettes liées à l'exploitation		107 310 $

PROBLÈME 7

Vous obtenez les renseignements suivants concernant la compagnie GJ ltée:

Cie GJ ltée
Bilan
au 31 décembre 19X5

	19X5		19X4	
Actif à court terme				
Encaisse	4 500	$	7 000	$
Titres négociables, au coût (valeur marchande de 35 000 $ en 19X5 et de 4 100 $ en 19X4)	30 000		4 000	
Comptes et effets à recevoir	82 000		75 000	
Stocks	298 000		253 000	
Frais payés d'avance	10 500		8 400	
Total de l'actif à court terme	425 000	$	347 400	$
Actif à long terme				
Placements de portefeuille	—		30 000	
Placement dans XYZ ltée	53 500		30 000	
Terrain, au coût	60 000		60 000	
Bâtiments et équipements, au coût	531 000		415 000	
Amortissement cumulé	<205 000>		<189 000>	
Frais reportés	4 800		5 000	
Achalandage	9 000		10 000	
Total de l'actif à long terme	453 000	$	361 000	$
Total de l'actif	878 300	$	708 400	$
Passif à court terme				
Dette bancaire	56 000	$	30 000	$
Comptes fournisseurs et frais courus	124 400		108 500	
Impôts à payer	4 000		6 000	
Dividendes à payer	8 000		6 000	
Total du passif à court terme	192 400	$	150 500	$

Passif à long terme

Obligations à payer, 15 %, échéant le 31 décembre 19Y5	100 000 $	—
Prime à l'émission d'obligations	3 600	—
Impôts sur le revenu reportés	63 000	60 000 $
Total du passif à long terme	166 600 $	60 000 $

Avoir des actionnaires

Capital-actions ordinaires	62 000	53 000
BNR non affectés	437 300	444 900
Réserve pour éventualités	20 000	—
Total de l'avoir des actionnaires	519 300 $	497 900 $
Total du passif et de l'avoir des actionnaires	878 300 $	708 400 $

Cie GJ ltée
État des résultats
pour l'exercice terminé le 31 décembre 19X5

Ventes		668 600 $
Produits financiers, quote-part du revenu tiré du placement dans XYZ ltée		3 500
		672 100 $
Frais d'exploitation, de vente et d'administration	600 000 $	
Amortissement des immobilisations	20 000	
Amortissement des autres actifs	3 000	
Frais d'intérêts sur obligations	14 800	<637 800>
Bénéfice avant impôts		34 300 $
Impôts sur le revenu		<10 000>
Bénéfice net		24 300 $

Renseignements supplémentaires

1. En janvier 19X5, GJ ltée a augmenté son influence sensible dans le satellite XYZ ltée en se portant acquéreur d'un 10 % supplémentaire d'actions de la compagnie; cette dernière n'a déclaré aucun dividende au cours de l'exercice.

   L'acquisition des actions a été financée, en partie par une émission d'actions ordinaires.

2. Au cours de l'exercice, la compagnie a augmenté sa provision pour mauvaises créances de 5 000 $.

3. En 19X5, la compagnie a reçu et réglé une cotisation d'impôt relative à des dépenses non déductibles de l'année précédente.

4. En janvier 19X5, GJ ltée a vendu au comptant, à leur valeur comptable, ses placements temporaires.

5. L'émission d'obligations a servi au financement d'une acquisition d'immobilisations de 100 000 $.

   Les obligations ont été émises à 104 le 1er janvier 19X5 et les intérêts annuels sont payables le 31 décembre. Les frais financiers relatifs à cette émission se sont chiffrés à 2 000 $. La prime et les frais financiers sont amortis linéairement.

6. Les frais reportés comprennent, en plus des frais d'émission, des frais d'incorporation.

7. Au cours de l'exercice, GJ ltée a acquis une nouvelle pièce d'équipement à un coût de 24 000 $. En échange, la compagnie a remis au vendeur une partie de son ancien équipement.

8. La compagnie a créé une réserve de 20 000 $ dans le but de faire face à diverses éventualités.

9. Le 15 décembre 19X5, le conseil d'administration a déclaré des dividendes en espèces s'élevant respectivement à 3 000 $ et 5 000 $ en faveur des actionnaires privilégiés et des actionnaires ordinaires, payables le 15 janvier 19X6.

Solution 7: *Présentation des rentrées nettes axée sur le bilan*

GJ ltée
État des mouvements de trésorerie
pour l'exercice terminé le 31 décembre 19X5

Activités d'exploitation

	Bénéfice net			24 300 $
	Plus : Éléments n'affectant pas les liquidités			
	Amortissement — immobilisations	20 000 $		
	Amortissement — achalandage	1 000		
(B)	Amortissement — frais d'incorporation	2 000		
	Produit financier — quote-part du revenu dans XYZ ltée	<3 500>		
	Impôts sur le revenu reportés	3 000		
(A)	Amortissement — frais d'émission	200		
(A)	Amortissement — prime	<400>	22 300	
	Rentrées brutes liées à l'exploitation			46 600 $
	Moins : Liquidités investies dans le fonds de roulement lié à l'exploitation			
	Augmentation des comptes fournisseurs et des frais courus	15 900 $		
	Diminution des impôts à payer	<2 000>		
	Augmentation des comptes et effets à recevoir	<7 000>		
	Augmentation des stocks	<45 000>		
	Augmentation des frais payés d'avance	<2 100>	<40 200>	
(E)	Cotisation d'impôt d'un exercice antérieur			<3 900>
	Rentrées nettes liées à l'exploitation			2 500 $

Activités d'investissement

Reclassification de placements de portefeuille dans les liquidités	30 000
(C) Augmentation du placement dans XYZ ltée contre émission d'actions ordinaires (9 000 $) et contre espèces (11 000 $)	<20 000>
Acquisition d'immobilisations financée par émission d'obligations	<100 000>
(D) Acquisition d'une pièce d'équipement contre échange (24 000 $ − 4 000 $)	<20 000>
Liquidités utilisées par les activités d'investissement	<110 000> $

Activités de financement

Émission d'actions ordinaires pour financer en partie l'acquisition d'un terrain	9 000 $
(F) Dividendes versés	<6 000>
(G) Émission d'obligations pour financer l'acquisition d'immobilisations (net des frais financiers)	102 000
Liquidités provenant des activités de financement	105 000 $
Évolution des liquidités	<2 500> $
Liquidités au début de l'exercice	<19 000>
Liquidités à la fin de l'exercice	<21 500> $

Les liquidités comprennent l'encaisse et les titres négociables nets de la dette bancaire.

Notes explicatives

Note A : L'amortissement des frais d'émission et de la prime est inclus dans les frais d'intérêts sur obligations :

Produit d'émission :
100 000 $ × 1,04 = 104 000 $ Prime = 4 000 $
Amortissement prime : 4 000 $/10 ans = 400 $

Amortissement des frais d'émission :
2 000 $/10 ans = 200 $

L'amortissement de la prime devra être enlevé du bénéfice net dans les éléments n'affectant pas les liquidités parce qu'il a eu pour effet de diminuer la dépense d'intérêt par rapport aux intérêts versés. L'écriture pour l'enregistrement des intérêts débiteurs est la suivante :

Intérêts débiteurs	14 800 $	
Prime	400	
Frais reportés		200 $
Caisse (15 % × 100 000 $)		15 000

Note B : *Amortissement des frais d'incorporation*

Frais reportés — solde du début	5 000 $
+ Amortissement des autres actifs à l'exclusion de l'amortissement de l'achalandage 3 000 $ − (10 000 $ − 9 000 $)	2 000
− Amortissement des frais d'émission reportés	<200>
− Amortissement des frais d'incorporation	<X>
Frais reportés — solde de la fin	4 800 $

$$X = 2 000 \$$$

Note C : *Augmentation du placement dans XYZ ltée*

Placement dans XYZ ltée — solde du début	30 000 $
+ Quote-part du revenu tiré du placement dans XYZ ltée	3 500
+ Augmentation du placement dans XYZ ltée	<X>
Placement dans XYZ ltée — solde de la fin	53 500 $

$$X = 20 000 \$$$

Note D : *Acquisition d'une pièce d'équipement contre échange*

(a) Coût de la pièce échangée

Bâtiments et équipements — solde du début	415 000 $
+ Acquisition d'immobilisations	100 000
+ Acquisition — pièce d'équipement	24 000
− Coût de la pièce échangée	<X>
Bâtiments et équipements — solde de la fin	531 000 $

$$X = 8 000 \$$$

(b) Amortissement cumulé de la pièce échangée

Amortissement cumulé — solde du début	189 000 $
+ Amortissement des immobilisations	20 000
− Amortissement cumulé	<X>
Amortissement cumulé — solde de la fin	205 000 $

$$X = 4\,000\ \$$$

(c) Valeur comptable de la pièce donnée en échange

Coût	8 000 $
− Amortissement cumulé	<4 000>
Valeur comptable	4 000 $

Note E: *Cotisation d'impôt pour les exercices antérieurs*

BNR — début	444 900 $
− Réserve	<20 000>
+ Bénéfice net	24 300
Dividendes	<8 000>
Cotisation	X
BNR — fin	437 300 $

$$X = 3\,900\ \$$$

Note F: *Dividendes versés*

Dividendes à payer du début	6 000 $
+ Dividendes déclarés	8 000
− Dividendes à payer à la fin	<8 000>
Somme versée	6 000 $

Note G: *Émission d'obligations pour financer l'acquisition d'immobilisations*

Prix d'émission 100 000 $ × 1,04	104 000 $
− Frais d'émission	<2 000>
	102 000 $

Solution 7 : *Présentation des rentrées nettes axée sur l'état des résultats*

GJ ltée
État des mouvements de trésorerie
pour l'exercice terminé le 31 décembre 19X5

Activités d'exploitation

(A)	Encaissements reçus des clients	661 600 $
(B)	Paiement des frais d'exploitation et de vente	
	et des frais généraux	<631 200>
(C)	Intérêts payés	<15 000>
(D)	Impôts payés	<9 000>
	Dividendes versés	<6 000>
	Cotisation d'impôt d'un exercice antérieur	<3 900>
	Rentrées nettes provenant de l'exploitation	<3 500> $

Activités d'investissement

Reclassification de placements de portefeuille dans les liquidités	30 000
Augmentation du placement dans XYZ ltée contre émission d'actions ordinaires (9 000 $) et contre espèces (11 000 $)	<20 000>
Acquisition d'immobilisations financées par émission d'obligations	<100 000>
Acquisition d'une pièce d'équipement contre échange (24 000 $ − 4 000 $)	<20 000>
Liquidités utilisées par les activités d'investissement	<110 000> $

Activité de financement

Émission d'actions ordinaires pour financer en partie l'acquisition d'un terrain	9 000
Émission d'obligations pour financer l'acquisition d'immobilisations (net des frais financiers)	102 000
Liquidités provenant des activités de financement	111 000 $
Évolution des liquidités	<2 500> $
Liquidités au début de l'exercice	<19 000>
Liquidités à la fin de l'exercice	<21 500> $

Notes explicatives

Note A : *Encaissements reçus des clients*

Comptes clients — début	75 000	$
+ Ventes	668 600	
− Comptes clients — fin	<82 000>	
	661 600	$

Note B : *Paiement des frais autres que les intérêts et les impôts*

Frais	600 000	$
− Stocks — début	<253 000>	
+ Stocks — fin	298 000	
Achats de l'année + autres dépenses	645 000	$
− Frais payés d'avance — début	<8 400>	
+ Frais payés d'avance — fin	10 500	
+ Comptes fournisseurs — début	108 500	
− Comptes fournisseurs — fin	<124 400>	
Achats payés + autres dépenses payées	631 200	$

Note C : *Intérêts payés :* 15 % × 100 000 $ = 15 000 $

Note D : *Impôts payés*

Impôts à payer — début	6 000	$
+ Impôts à payer à court terme*	7 000	
− Impôts à payer — fin	<4 000>	
	9 000	$

* Impôts sur le revenu − augmentation
des impôts reportés = 10 000 $ − 3 000 $

PROBLÈME 8

Voici les renseignements concernant la compagnie ADM ltée:

ADM ltée Bilan au 31 décembre 19X5				
	19X5		*19X4*	
Actif à court terme				
Encaisse	7 000	$	2 000	$
Placements à court terme	800		1 700	
Créances, billets et autres effets à recevoir, moins provision pour créances douteuses de 8 620 $ (8 880 $ en 19X4)	340 000		350 000	
Créances — compagnie mère	—		1 500	
Stocks	410 000		390 000	
Frais payés d'avance et autres frais	20 000		20 000	
Total de l'actif à court terme	777 800	$	765 200	$
Actif à long terme				
Placement dans XYZ ltée	9 000		31 300	
Terrains	18 100		16 000	
Édifices et améliorations	178 000		160 000	
Amortissement cumulé	<75 000>		<70 000>	
Machinerie et équipements	380 000		340 000	
Amortissement cumulé	<145 000>		<180 000>	
Biens loués en vertu de contrats de location-acquisition	50 000		—	
Amortissement cumulé	<10 000>		—	
Frais de développement	125 000		75 000	
Total de l'actif à long terme	530 100	$	372 300	$
Total de l'actif	1 307 900	$	1 137 500	$

Passif à court terme

Emprunt bancaire	30 000 $	30 500 $
Comptes fournisseurs et frais courus	290 000	240 000
Impôts sur le revenu à payer	32 000	10 000
Tranche à court terme de la dette à long terme	7 500	7 500
Tranche des contrats de location-acquisition échéant à moins d'un an	5 000	—
Total du passif à court terme	364 500 $	288 000 $

Passif à long terme

Dû aux administrateurs	750	600
Dette à long terme, 11¼ %, à fonds d'amortissement, échéant en divers montants de l'exercice 19X7 à celui de 19Y2	117 500	125 000
Obligations à long terme en vertu de contrats de location-acquisition	40 000	—
Impôts sur le revenu reportés	76 000	77 000
Total du passif à long terme	234 250 $	202 600 $

Avoir des actionnaires

Actions ordinaires, valeur nominale de 100 $ l'action	15 000	10 000
Prime à l'émission d'actions ordinaires	2 600	1 500
Actions privilégiées, valeur nominale de 100 $ l'action, rachetables à 130 $ l'action, convertibles en deux actions ordinaires	8 000	12 000
Prime à l'émission d'actions privilégiées	1 600	2 400
Réserve pour rachat d'actions privilégiées	2 800	8 000
Excédent de la valeur d'expertise sur le coût amorti des immobilisations	19 000	20 000
BNR	660 150	593 000
Total de l'avoir des actionnaires	709 150 $	646 900 $
Total du passif et de l'avoir des actionnaires	1 307 900 $	1 137 500 $

Renseignements supplémentaires

1. Le bénéfice net de l'exercice tient compte des éléments suivants :

   Un gain sur vente d'une partie du placement dans XYZ ltée de 8 500 $. Cette vente, effectuée au début de janvier 19X5, a fait passer le pourcentage de participation de ADM ltée dans XYZ ltée de 35 % à 10 %.

   XYZ ltée a réalisé, au cours de l'exercice, un bénéfice de 150 000 $ et a versé des dividendes de 70 000 $.

   Une perte de 16 500 $ relative à une provision pour mauvaises créances, provision rendue nécessaire par la faillite de l'un des principaux clients de la compagnie.

2. ADM ltée a radié des livres de l'équipement dont le coût d'acquisition était de 30 000 $, lequel était complètement amorti.

   La compagnie a de plus procédé à la vente d'une partie de ses équipements, dont le coût était de 70 000 $ et l'amortissement cumulé de 35 000 $. Le gain sur la vente de ces équipements s'est élevé à 550 $.

   Certains autres équipements ont été acquis durant l'année. Les équipements sont remplacés à un rythme régulier.

3. La vente des placements temporaires a donné lieu à une perte de 250 $.

4. Au cours de l'exercice, ADM ltée a fait l'acquisition d'un terrain. Le paiement a été effectué de la façon suivante :

Paiement d'un administrateur :	100 $
Émission d'actions ordinaires :	2 000 $

5. Au début de l'exercice, ADM ltée a acquis des biens par contrats de location — acquisition. Le loyer est payable au début de chaque année. Un montant de 5 000 $ a été versé lors de l'acquisition des biens.

6. La compagnie a capitalisé pour 60 000 $ de frais de développement engagés au cours de l'exercice.

7. Au cours de l'exercice, l'entreprise a effectué les opérations suivantes sur son capital-actions :

   En mars 19X5, ADM ltée a déclaré et distribué un dividende en actions ordinaires de 10 % à un moment où le cours des actions était de 120 $.

   En septembre 19X5, le conseil d'administration a racheté et annulé un certain nombre d'actions privilégiées. À la suite de ce rachat, la compagnie a annulé une partie de la réserve créée à cette fin.

   En octobre 19X5, ADM ltée a procédé à une émission d'actions ordinaires.

8. Au cours de l'exercice, la compagnie a distribué un dividende de 80 000 $.

Solution 8: *Présentation des rentrées nettes axée sur le bilan*

ADM ltée
État des mouvements de trésorerie
pour l'exercice terminé le 31 décembre 19X5

Activités d'exploitation

(A)	Bénéfice net		142 550 $
	Plus: Éléments n'affectant pas les liquidités:		
	Gain sur vente de placement	<8 500> $	
	Gain sur ventes d'équipements	<550>	
(B)	Amortissement — équipement	30 000	
(C)	Amortissement — frais de développement	10 000	
	Amortissement — édifices	5 000	
	Amortissement — biens loués par contrats de location – acquisition	10 000	
	Impôts sur le revenu reportés	<1 000>	44 950
	Rentrées brutes liées à l'exploitation		187 500 $
	Liquidités dégagées du fonds de roulement (note 1)		63 500
(D)	Acquisition d'équipements		<140 000>
(E)	Ventes d'équipements		35 550
	Rentrées nettes liées à l'exploitation		146 550 $

Activités d'investissement

(F)	Vente d'une partie du placement dans XYZ ltée	30 800
	Acquisition d'un terrain moyennant émission d'actions ordinaires (2 000 $) et paiement d'un administrateur (100 $)	<2 100>
	Capitalisation de frais de développement	<60 000>

Améliorations locatives	<18 000>
Acquisition de biens en vertu de contrats de location-acquisition	<50 000>
Liquidités utilisées par les activités d'investissement	<99 300> $

Activités de financement

Émission d'actions ordinaires (dont 2 000 $ pour l'acquisition d'un terrain)	4 900 $
Rachat d'actions privilégiées	<5 200>
Augmentation dette administrateurs (dont 100 $ pour l'acquisition d'un terrain)	150
Versement sur la dette à long terme	<7 500>
Obligations contractées en vertu d'un contrat de location-acquisition (nettes d'un versement de 5 000 $)	45 000
Dividendes versés	<80 000>
Liquidités utilisées par les activités de financement	<42 650> $
Évolution des liquidités	4 600 $
Liquidités au début de l'exercice	<26 800>
Liquidités à la fin de l'exercice	<22 200> $

Les liquidités comprennent l'encaisse et les placements à court terme déduction faite de l'emprunt bancaire.

Note 1: *Variation du fonds de roulement lié à l'exploitation*

Diminution des créances	10 000 $
Augmentation des comptes fournisseurs	50 000
Augmentation des impôts à payer	22 000
Diminution des créances — compagnie mère	1 500
Augmentation des stocks	<20 000>
Diminution du fonds de roulement	63 500 $

Notes explicatives

Note A: *Bénéfice net*

BNR — Début	59 300 $
− Dividendes versés en espèces	<80 000>
− Dividendes en actions: 100 actions × 10 % × 120 $	<1 200>
− Rachat des actions privilégiées:	

Nombre d'actions rachetées:
  (8 000 $ − 2 800 $) = 5 200 $ (diminution de la réserve)
  5200 $/130 $ = 40 actions rachetées

Valeur comptable des actions privilégiées:
  Valeur nominale: 100 $
  + Prime: 2 400 $/120 actions =   <u>20 $</u>   120 $

Prime au rachat: (130 $ − 120 $) × 40 actions =	<400>
+ Réserve pour rachat d'actions privilégiées (8 000 $ − 2 800 $)	5 200
+ Excédent de la valeur d'expertise (20 000 $ − 19 000 $)	1 000
+ Bénéfice net	X
BNR — Fin	660 150 $

$$X = 142\,550\ \$$$

Note B: *Amortissement — équipement*

Amortissement cumulé — solde du début	180 000 $
− Amortissement cumulé — équipement radié	<30 000>
− Amortissement cumulé — équipement vendu	<35 000>
Amortissement	X
Amortissement cumulé — solde de la fin	145 000 $

$$X = 30\,000\ \$$$

Note C: *Amortissement — frais de développement*

Frais de développement — solde du début	75 000 $
+ Capitalisation des frais de développement de l'exercice	60 000
+ Amortissement	X
Frais de développement — solde de la fin	125 000 $

$$X = 10\,000\ \$$$

Note D: *Acquisition d'équipements*

Machinerie et équipements — solde début	340 000 $
− Coût de l'équipement radié des livres	<30 000>
− Coût de l'équipement vendu	<70 000>
+ Acquisition d'équipement	X
Machinerie et équipements — solde fin	380 000 $

$$X = 140\,000\ \$$$

Note E: *Ventes d'équipements*

Coût d'acquisition	70 000 $
− Amortissement cumulé	<35 000>
Valeur comptable	35 000 $
+ Gain sur vente	550
	35 550 $

Note F: *Vente de placement*

Placement dans XYZ ltée — solde début	31 300 $
− Placement dans XYZ ltée — solde fin	<9 000>
+ Gain sur vente de placement	8 500
	30 800 $

Note G: *Émission d'actions ordinaires*

Capital-actions au début	10 000 $
+ Prime à l'émission au début	1 500
+ Actions émises en dividende	1 200
+ Actions émises pour le terrain	2 000
+ Autres actions émises	X
Capital-actions à la fin (15 000 $)	
+ Prime à l'émission à la fin (2 600 $)	17 600 $

$$X = 2\,900\ \$$$

Note H: *Rachat d'actions privilégiées*

Variation de la réserve: 8 000 $ − 2 800 $ = 5 200 $

Solution 8: *Présentation des rentrées nettes axée sur le bilan: variante*

ADM ltée
État des mouvements de trésorerie
pour l'exercice terminé le 31 décembre 19X5

Activités d'exploitation

Bénéfice net		142 550 $
Plus: Éléments n'affectant pas les liquidités		
Gain sur vente de placement	<8 500> $	
Gain sur ventes d'équipements	<550>	
Amortissement — équipement	30 000	
Amortissement — frais de développement	10 000	
Amortissement — édifices	5 000	
Amortissement — biens acquis par contrats de location-acquisition	10 000	
Impôts sur revenu reportés	<1 000>	44 950
Plus: Liquidités dégagées du fonds de roulement hors liquidités		
Diminution créances	10 000 $	
Augmentation comptes fournisseurs	50 000	
Augmentation impôts à payer	22 000	
Diminution créances — compagnie mère	1 500	
Augmentation stocks	<20 000>	63 500
Ventes d'équipements		35 550
Acquisition d'équipements		<140 000>
Rentrées nettes liées à l'exploitation		146 550 $

Liquidités utilisées pour

Dividendes versés		<80 000>
Liquidités disponibles pour investissement		66 550 $

Activités d'investissement

Améliorations locatives	<18 000> $
Vente d'une partie du placement dans XYZ ltée	30 800
Acquisition d'un terrain moyennant émission d'actions ordinaires (2 000 $) et paiement d'un administrateur (100 $)	<2 100>
Capitalisation des frais de développement	<60 000>
Acquisition de biens en vertu de contrats de location-acquisition	<50 000>
Liquidités utilisées par les activités d'investissement	<99 300> $
Besoin de liquidités avant financement	<32 750> $

Activités de financement

Émission d'actions ordinaires (dont 2 000 $ pour acquisition d'un terrain)	4 900
Rachat d'actions privilégiées	<5 200>
Augmentation dette administrateurs (dont 100 $ pour l'acquisition d'un terrain)	150
Versement sur la dette à long terme	<7 500>
Obligations contractées en vertu d'un contrat de location-acquisition (nettes d'un versement de 5 000 $)	45 000
Liquidités dégagées par les activités de financement	37 350 $
Évolution des liquidités	4 600 $
Liquidités au début de l'exercice	<26 800>
Liquidités à la fin de l'exercice	<22 200> $

PROBLÈME 9

Vous obtenez les renseignements suivants concernant la compagnie PH ltée :

Cie PH ltée
Bilan
au 31 décembre 19X5

	19X5	19X4
Actif à court terme		
Encaisse	33 000 $	40 000 $
Placements temporaires	10 000	68 500
Comptes clients	179 000	190 000
Billets à recevoir des administrateurs	2 000	2 000
Stocks	30 000	41 000
Frais payés d'avance	7 000	6 500
Total de l'actif à court terme	261 000 $	348 000 $
Actif à long terme		
Billets à recevoir des administrateurs	3 000	5 000
Placement dans Z ltée	410 500	—
Immobilisations (déduction faite de l'amortissement cumulé)	1 850 000	1 792 000
Achalandage	129 600	138 000
Escompte à l'émission d'obligations	2 625	4 000
Total de l'actif à long terme	2 395 725 $	1 939 000 $
Total de l'actif	2 656 725 $	2 287 000 $
Passif à court terme		
Emprunt bancaire	4 500 $	13 000 $
Comptes fournisseurs	398 225	427 000
Revenus reportés	55 000	52 000
Frais courus à payer	60 000	80 000
Impôts à payer	40 000	60 000
Total du passif à court terme	557 725 $	632 000 $

Passif à long terme		
Billet à payer	100 000 $	—
Obligations à payer, 8 %,		
échéant le 31 décembre 19X2	750 000	1 000 000 $
Impôts sur le revenu reportés	14 000	16 000
Total du passif à long terme	864 000 $	1 016 000 $
Avoir des actionnaires		
Capital-actions		
Actions ordinaires, valeur nominale		
de 20 $	540 000	260 000
Actions privilégiées, valeur nominale		
de 15 $	360 000	210 000
Prime à l'émission d'actions ordinaires	87 000	16 000
Prime à l'émission d'actions privilégiées	62 000	12 000
Total du capital-actions	1 049 000 $	498 000 $
Bénéfices non répartis	186 000	141 000
Total de l'avoir des actionnaires	1 235 000 $	639 000 $
Total du passif et de l'avoir		
des actionnaires	2 656 725 $	2 287 000 $

Renseignements supplémentaires

1. Au début de l'exercice, une poursuite a été intentée contre la compagnie par des employés ayant été blessés lors d'un incendie ayant détruit une partie des installations de l'entreprise en 19X4. Le jugement a été rendu et PH ltée a dû débourser 24 000 $ en dommages et intérêts. Le taux d'imposition de la compagnie est de 50 %.

2. Au 30 mars 19X5, PH ltée a fait l'acquisition de 35 % des actions ordinaires de Z ltée moyennant l'émission de 13 000 actions ordinaires et le versement d'une somme de 62 000 $, obtenue de la vente de placements temporaires. Le cours des actions à cette date était de 25 $ l'action. L'achalandage d'acquisition s'est chiffré à 20 000 $ et est amorti de façon linéaire sur 10 ans.

   Z ltée a réalisé, au cours de l'exercice, un bénéfice net de 140 000 $, lequel fut gagné de façon uniforme. Des dividendes ont été distribués en décembre 19X5.

3. Au cours de l'exercice, on a vendu à un prix de 148 000 $ une machine dont la valeur comptable était de 150 000 $.

   L'amortissement de l'exercice concernant les immobilisations corporelles s'est élevé à 112 000 $.

   En mai 19X5, des équipements mis au rebut, qui étaient complètement amortis, ont été remplacés par de nouveaux. Ces acquisitions ont été financées en partie par l'émission d'un billet à long terme de 100 000 $, et par des actions privilégiées pour une somme de 200 000 $. La balance du prix d'achat a été réglée en espèces. L'entreprise remplace de façon régulière ses équipements.

4. Le 31 décembre 19X5, PH ltée a racheté par anticipation, à 101, 250 obligations d'une valeur nominale de 1 000 $. L'escompte à l'émission d'obligations est amorti linéairement. Les intérêts sont payables le 31 décembre.

5. En octobre 19X5, la compagnie a distribué un dividende de 1 $ l'action privilégiée et de 1,50 $ l'action ordinaire.

6. En novembre 19X5, PH ltée a émis des actions ordinaires pour un total de 26 000 $ à la suite de la levée d'options d'achat d'actions.

7. Voici certains comptes de revenus et de dépenses que l'on retrouve à l'état des résultats.

Ventes au comptant		650 000 $
Ventes à crédit		1 000 000 $
Achats		1 039 000 $
Frais de vente, d'administration et frais généraux		191 600 $
Dépense d'intérêts sur obligations		80 500 $
Impôts : à court terme	119 375 $	
reportés	<2 000>	117 375 $

Solution 9: *Présentation des rentrées nettes axée sur le bilan*

Cie PH ltée				
État des mouvements de trésorerie				
pour l'exercice terminé le 31 décembre 19X5				

Activités d'exploitation

(A)	Bénéfice avant élément extraordinaire		120 000	$
	Plus : Éléments n'affectant pas les liquidités			
(B)	Quote-part du revenu dans Z ltée	<35 250> $		
(C)	Perte sur vente de machine	2 000		
	Amortissement — immobilisations	112 000		
(E)	Amortissement — escompte sur obligations	500		
(E)	Perte sur rachat d'obligations	3 375		
	Amortissement — achalandage	8 400		
	Impôts reportés	2 000		
		89 025 $		
(B)	Plus : Dividendes reçus	11 750	100 775	
	Rentrées brutes liées à l'exploitation		220 775	$
	Moins: Liquidités investies dans le fonds de roulement hors liquidités			
	Diminution comptes clients	11 000 $		
	Diminution stocks	11 000		
	Augmentation revenus reportés	3 000		
	Augmentation frais payés d'avance	<500>		
	Diminution comptes fournisseurs	<28 775>		
	Diminution frais courus	<20 000>		
	Diminution impôts à payer	<20 000>	<44 275>	
(D)	Achat d'équipement contre billet (100 000 $), actions privilégiées (200 000 $) et espèces (20 000 $)		<320 000>	
	Rentrées nettes liées à l'exploitation avant élément extraordinaire		<143 500>	$

Élément extraordinaire — paiements en règlement d'une poursuite (compte tenu d'une réduction d'impôts de 12 000 $)	<12 000>
Rentrées nettes liées à l'exploitation	<155 500> $

Activités d'investissement

(B) Acquisition d'un placement dans Z ltée financée en partie par l'émission d'actions ordinaires	<387 000> $
Vente d'une machine	148 000
Encaissements sur billets à recevoir	2 000
Liquidités utilisées par les activités d'investissement	<237 000> $

Activités de financement

Émission d'actions privilégiées pour financer en partie l'achat d'équipement	200 000
Émission d'un billet pour financer en partie un équipement	100 000
Émission d'actions ordinaires dont 325 000 $ pour financer en partie l'acquisition d'un placement	351 000
(E) Rachat d'obligations	<252 500>
(A) Dividendes versés sur actions privilégiées	<24 000>
(A) Dividendes versés sur actions ordinaires	<39 000>
Liquidités provenant des activités de financement	335 500 $
Évolution des liquidités	<57 000> $
Liquidités au début de l'exercice	95 500
Liquidités à la fin de l'exercice	38 500 $

Les liquidités comprennent l'encaisse et les placements temporaires nets de l'emprunt bancaire.

Notes explicatives

Note A : *Bénéfice net*

BNR — début	141 000 $	
− Dividendes		
Actions privilégiées		
360 000 $/15 $ = 24 000 actions × 1 $	<24 000>	
Actions ordinaires		
260 000 $ + (13 000 actions × 20 $) =		
520 000 $/20 $ = 26 000 actions × 1,50 $	<39 000>	
Bénéfice net	X	= 108 000 $
BNR — fin	186 000 $	
Bénéfice net	108 000 $	
− Perte extraordinaire	12 000	
Bénéfice avant poste extraordinaire	120 000 $	

Note B : *Placement dans Z ltée*

Coût d'acquisition :		
13 000 actions × 25 $	325 000 $	
Espèces	62 000	
	387 000 $	
+ Quote-part des revenus		
140 000 $ × 9/12 × 35 %	36 750	
− Amortissement — achalandage		
20 000 $ × 1/10 × 9/12	<1 500>	
− Dividendes	X	= 11 750 $
Solde du compte au bilan	410 500 $	

Note C : *Perte sur vente de machine*

Prix de vente	48 000 $
− Valeur comptable	<50 000>
	<2 000> $

Note D: *Achat d'équipement*

Immobilisations — solde du début	1 792 000 $	
− Valeur comptable d'une immobilisation vendue	<150 000>	
− Amortissement	<112 000>	
+ Acquisition	X	= 320 000 $
Immobilisations — solde de la fin	1 850 000 $	

Note E: *Rachat d'obligations*

Amortissement escompte: 4 000 $/8 ans = 500 $

Escompte non amorti se rapportant aux obligations rachetées:
(4 000 $ − 500 $) = 3 500 $ × 25 % = 875 $

Prix rachat: (1,01 × 250 obligations × 1 000 $)	252 500 $
− Valeur comptable: (250 000 $ − 875 $)	<249 125>
Perte sur rachat d'obligations	3 375 $

Solution 9 : *Présentation des rentrées nettes axée sur l'état des résultats*

PH ltée
État des mouvements de trésorerie
pour l'exercice terminé le 31 décembre 19X5

Activités d'exploitation

(A)	Encaissements reliés aux ventes	1 664 000 $
	Dividendes reçus	11 750
(B)	Déboursés pour les achats	<1 067 775>
(C)	Déboursés pour frais de vente et d'administration	<212 100>
	Intérêts sur obligations payés	<80 000>
(D)	Impôts payés	<139 375>
	Achat d'équipement contre billet (100 100 $), actions privilégiées (200 000 $) et espèces (20 000 $)	<320 000>
	Rentrées nettes provenant de l'exploitation avant élément extraordinaire	<143 500> $
	Élément extraordinaire — paiements en règlement de poursuites (compte tenu d'une réduction d'impôts de 12 000 $)	<12 000>
	Rentrées nettes provenant de l'exploitation	<155 500> $

Activités d'investissement

Acquisition d'un placement dans Z ltée financée en partie par l'émission d'actions ordinaires	<387 000>
Vente d'une machine	148 000
Encaissement sur billets à recevoir	2 000
Liquidités utilisées par les activités d'investissement	<237 000> $

Activités de financement

Émission d'actions privilégiées pour financer en partie l'achat d'équipement	200 000
Émission d'un billet pour financer en partie un équipement	100 000
Émission d'actions ordinaires dont 325 000 $ pour financer en partie l'acquisition d'un placement	351 000
Rachat d'obligations	<252 500>
Dividendes versés sur actions privilégiées	<24 000>
Dividendes versés sur actions ordinaires	<39 000>
Liquidités provenant des activités de financement	335 500 $

Évolution des liquidités	<57 000> $
Liquidités au début de l'exercice	95 500
Liquidités à la fin de l'exercice	38 500 $

Notes explicatives

Note A: *Encaissements reçus des clients*

Comptes clients — début	190 000	$
+ Ventes (1 000 000 $ + 650 000 $)	1 650 000	
− Comptes clients — fin	<179 000>	
− Revenus reportés — début	<52 000>	
+ Revenus reportés — fin	55 000	
	1 664 000	$

Note B: *Déboursés pour les achats*

Comptes fournisseurs — début	427 000	$
+ Achats	1 039 000	
− Comptes fournisseurs — fin	<398 225>	
	1 067 775	$

Note C: *Déboursés pour frais de vente et d'administration*

Frais courus à payer — début	80 000	$
+ Frais de vente et d'administration	191 600	
− Frais courus à payer — fin	<60 000>	
	211 600	$
− Frais payés d'avance — début	<6 500>	
+ Frais payés d'avance — fin	7 000	
	212 100	$

Note D: *Impôts payés*

Impôts à payer — début	60 000	$
+ Impôts de l'année	119 375	
− Impôts à payer — fin	<40 000>	
	139 375	$

PROBLÈME 10

Voici les renseignements relatifs à la compagnie ABC ltée:

ABC ltée
Bilan
au 31 décembre 19X5

	19X5		19X4	
Actif à court terme				
Encaisse et placements à court terme	23 500	$	4 000	$
Comptes et effets à recevoir	68 000		46 000	
Stocks	102 000		98 000	
Assurances payées d'avance	17 870		9 100	
Total de l'actif à court terme	211 370	$	157 100	$
Actif à long terme				
Biens-fonds et installations	431 000		393 100	
Amortissement cumulé	<176 000>		<140 000>	
Placement en obligations	9 500		9 400	
Placement en actions — XYZ ltée				
(5 % en 19X5, 6 % en 19X4)	7 000		8 000	
Achalandage	14 500		15 000	
Escompte à l'émission d'obligations	1 330		—	
Frais de développement reportés	20 000		—	
Total de l'actif à long terme	307 330	$	285 500	$
Total de l'actif	518 700	$	442 600	$
Passif à court terme				
Emprunts de banque	3 000	$	900	$
Comptes fournisseurs	60 000		70 000	
Frais courus	26 000		20 000	
Impôts à payer	5 000		7 000	
Taxe de vente à payer	2 000		19 000	
Total du passif à court terme	96 000	$	116 900	$

Passif à long terme

Obligations à payer (10 %)	70 000	—
Impôts sur le revenu reportés	54 000	51 000
Total du passif à long terme	124 000 $	51 000 $

Avoir des actionnaires

Capital-actions		
Actions privilégiées	21 700	31 700
Actions ordinaires	101 000	78 000
BNR	171 000	160 000
Excédent de la valeur d'expertise sur le coût amorti des immobilisations	5 000	5 000
Total de l'avoir des actionnaires	298 700 $	224 700 $
Total du passif et de l'avoir des actionnaires	518 700 $	442 600 $

ABC ltée
État des résultats
pour l'exercice terminé le 31 décembre 19X5

Chiffre d'affaires	741 320 $	
Taxes de vente	<127 300>	614 020 $
Coût des marchandises vendues		<304 000>
Bénéfice brut		310 020
Autres charges		
Commercialisation et distribution	217 000 $	
Frais d'administration et frais divers	39 600	
Intérêts sur obligations	3 570	
Frais de recherche et développement	30 000	<290 170>
Produits financiers		6 150
Bénéfice avant impôts		26 000
Impôts — à court terme	10 000 $	
— reportés	3 000	<13 000>
Bénéfice net		13 000

Renseignements supplémentaires

1. Le poste Produits financiers comprend les éléments suivants :

Perte sur vente d'actions de XYZ ltée	<150> $
Revenu de dividendes de XYZ ltée	800
Gain sur vente d'équipement	1 500
Gain sur vente d'un terrain	2 900
Revenu d'intérêts	1 100
	6 150 $

2. Au cours de l'exercice, ABC ltée a acquis un nouveau bâtiment à un coût de 50 000 $.

   Elle a aussi capitalisé le coût de réparations majeures effectuées au cours de l'exercice afin d'augmenter sa capacité de fonctionnement. Elle a, de plus, engagé des frais de réparations importants pour une somme de 12 000 $ pour maintenir son équipement et ses bâtiments en bon état (ces frais sont inclus dans les frais divers à l'état des résultats). Elle a vendu de l'équipement dont la valeur comptable était de 4 000 $.

3. ABC ltée a vendu un de ses terrains pour une somme de 12 000 $.

4. Le 30 juin 19X5, ABC ltée a émis à escompte des obligations échéant le 30 juin 19Y5. Les intérêts sont payables annuellement le 30 juin.

5. Au cours de l'exercice, la compagnie a distribué des dividendes aux actionnaires ordinaires et privilégiés.

6. Plusieurs transactions relatives au capital-actions ont été effectuées au cours de l'année.

   En février 19X5, la compagnie ABC ltée a procédé à un fractionnement de ses actions à raison de 3 pour 1.

   En avril 19X5, certains détenteurs d'actions privilégiées ont converti leurs actions en actions ordinaires. Le nombre d'actions ordinaires émis fut de 250, à un moment où la valeur au marché des actions était de 50 $.

   Afin de répondre à ses besoins en liquidités, la compagnie a procédé en novembre à une émission d'actions ordinaires.

7. Les comptes et effets à recevoir comprennent, en plus des montants à recevoir des clients, les sommes suivantes :

	19X5	19X4
Intérêts courus à recevoir sur placement en obligations	750 $	750 $
Dividendes courus à recevoir sur placement dans XYZ ltée	800 $	700 $

   Les frais généraux comprennent des dépenses d'assurance d'un montant de 6 000 $.

8. L'amortissement des immoblisations est de 50 000 $. L'amortissement des autres actifs est de 500 $ et il est inclus dans les frais d'administration. 80 % de l'amortissement des immobilisations est inclus dans les dépenses de production ; 10 % est inclus dans les frais de vente et 10 % dans les frais d'administration.

9. Les dépenses de production comprennent des salaires de 100 000 $. Les autres charges incluent des salaires de 90 000 $.

Solution 10: *Présentation des rentrées nettes axée sur le bilan*

ABC ltée
État des résultats
pour l'exercice terminé le 31 décembre 19X5

Activités d'exploitation

Bénéfice net			13 000 $
Plus : Éléments n'affectant pas les liquidités			
(A) Impôts reportés	3 000 $		
Amortissement — autres actifs	500		
Amortissement — immobilisations	50 000		
Amortissement — escompte sur obligations	70		
Perte sur vente d'actions XYZ ltée	150		
Gain sur vente d'équipement	<1 500>		
Gain sur vente d'un terrain	<2 900>		
(B) Amortissement — escompte placement en obligations	<100>	49 220	
Rentrées brutes liées à l'exploitation			62 220 $
Moins : Liquidités investies dans le fonds de roulement hors liquidités			
Augmentation frais courus	6 000 $		
Diminution impôts à payer	<2 000>		
Diminution taxe de vente à payer	<17 000>		
Diminution comptes fournisseurs	<10 000>		
Augmentation comptes clients	<22 000>		
Augmentation stocks	<4 000>		
Augmentation assurances payées d'avance	<8 770>	<57 770>	
Rentrées nettes liées à l'exploitation			4 450 $

Activités d'investissement

(C)	Réparations majeures capitalisées	<15 000> $	
	Vente d'actions XYZ ltée	850	
	Acquisition d'un bâtiment	<50 000>	
	Frais de développement capitalisés	<20 000>	
	Vente d'un terrain	12 000	
(D)	Vente d'équipement	5 500	<66 650>
	Besoin de liquidités avant activités de financement		<62 200> $

Activités de financement

	Émission d'actions ordinaires dont 10 000 $ en vertu de la conversion d'actions privilégiées	23 000 $	
	Conversion d'actions privilégiées	<10 000>	
(E)	Émission d'obligations	68 600	
(F)	Dividendes versés	<2 000>	79 600 $
	Évolution des liquidités		17 400 $
	Liquidités au début de l'exercice		3 100
	Liquidités à la fin de l'exercice		20 500 $

Les liquidités comprennent l'encaisse et les placements à court terme nets des emprunts de banque.

Notes explicatives

Note A : *Amortissement de l'escompte sur obligations à payer*

Intérêts versés = 70 000 $ × 10 % × 1/2 = 3 500 $
Amortissement de l'escompte = 3 570 $ − 3 500 $ = 70 $

Note B : *Amortissement de l'escompte sur placement en obligations*

(9 500 $ − 9 400 $) = 100 $

Note C : *Réparations majeures*

Amortissement cumulé de l'équipement vendu	140 000 $
+ Dépense d'amortissement	50 000
− Amortissement cumulé de l'équipement vendu	<X>
Amortissement cumulé à la fin	176 000 $

X = 14 000 $

Coût de l'équipement vendu :

Valeur comptable	4 000	$
+ Amortissement cumulé	14 000	
Coût	18 000	$

Coût du terrain vendu :

Prix de vente	12 000	$
− Gain	<2 900>	
Coût	9 100	$

Coût des réparations :

Biens-fonds et installations au début	393 100	$
+ Coût du bâtiment acquis	50 000	
− Coût de l'équipement vendu	<18 000>	
− Coût du terrain vendu	<9 100>	
+ Coût des réparations	X	
Biens-fonds et installations à la fin	431 000	$

$$X = 15\,000\ \$$$

Note D : *Vente d'équipement*

Valeur comptable	4 000	$
+ Gain	1 500	$
Prix de vente	5 500	$

Note E : *Émission d'obligations*

Escompte : 1 330 $ + 70 $ = 1 400 $
Prix d'émission : 70 000 $ − 1 400 $ = 68 600 $

Note F : *Dividendes versés*

BNR — Début	160 000	$
+ Bénéfice net	13 000	
− Dividendes	<X>	
BNR — Fin	171 000	$

$$X = 2\,000\ \$$$

Solution 10 : *Présentation des rentrées nettes axée sur l'état des résultats*

XYZ ltée
État des mouvements de trésorerie
pour l'exercice terminé le 31 décembre 19X5

Activités d'exploitation

(A)	Encaissements reçus des clients		719 420	$
(B)	Remises de taxes de vente		<144 300>	
(C)	Intérêts et dividendes reçus		1 700	
(D)	Déboursés pour les achats et la production		<178 000>	
(E)	Déboursés pour frais de vente et d'administration		<146 870>	
	Déboursés effectués pour rémunérer les principaux agents économiques :			
	Salaires versés	190 000 $		
(F)	Intérêts payés	3 500		
	Dividendes versés	2 000		
(G)	Impôts payés	12 000	<207 500>	
	Déboursés effectués en vue d'assurer le maintien de la capacité de production et l'accroissement des revenus			
	Frais importants de réparations	12 000 $		
	Frais de recherche et développement	30 000	<42 000>	
	Rentrées nettes provenant de l'exploitation		2 450	$

Activités de financement

	Conversion d'actions privilégiées	<10 000> $		
	Émission d'actions ordinaires dont 10 000 $ en vertu de la conversion d'actions privilégiées	23 000		
	Émission d'obligations	68 600	81 600	$

Activités d'investissement

Vente d'actions	850 $	
Vente de terrain	12 000	
Vente d'équipement	5 500	
Réparations majeures capitalisées	<15 000>	
Acquisition d'un bâtiment	<50 000>	
Frais de développement capitalisés	<20 000>	<66 650>
Évolution des liquidités		17 400 $
Liquidités au début de l'exercice		3 100
Liquidités à la fin de l'exercice		20 500 $

Notes explicatives

Note A: *Encaissements reçus des clients*

Comptes clients au début (46 000 $ − 750 $ − 700 $)	44 550 $
+ Ventes	741 320
− Comptes clients à la fin (68 000 $ − 750 $ − 800 $)	<66 450>
Encaissements	719 420 $

Note B: *Remises de taxes de vente*

Dépenses de taxes de vente	127 300 $
Taxes de vente à payer au début	19 000
Taxes de vente à payer à la fin	<2 000>
Déboursés	144 300 $

Note C: *Intérêts et dividendes reçus*

Intérêts et dividendes courus à recevoir au début (750 $ + 700 $)	1 450 $
Revenu d'intérêts (1 100 $ − 100 $ amortissement de l'escompte)	1 000
Revenu de dividendes	800
Intérêts et dividendes courus à recevoir à la fin (750 $ + 800 $)	<1 550>
Sommes encaissées	1 700 $

Note D: *Déboursés pour les achats et la production*
  (excluant les salaires payés)

Stocks du début	98 000 $
+ Dépenses de production et achats	X
− Stocks à la fin	<102 000>
Coût des marchandises vendues	304 000 $

$$X = 308\,000\ \$$$

Dépenses de production et achats	308 000 $
− Salaires versés	<100 000>
− Amortissement (80 % × 50 000 $)	<40 000>
+ Comptes fournisseurs au début	70 000
− Comptes fournisseurs à la fin	<60 000>
Déboursés	178 000 $

Note E: *Déboursés pour frais de vente et d'administration (excluant les salaires)*

Commercialisation et distribution (217 000 $ − amortissement 5 000 $)	212 000 $
+ Frais d'administration et frais divers (39 600 $ + augmentation des assurances payés d'avance 8 770 $ − amortissement 5 500 $ − frais de réparations 12 000 $)	30 870
	242 870 $
− Salaires payés	<90 000>
	152 870 $
+ Frais courus au début	20 000
− Frais courus à la fin	<26 000>
Déboursés	146 870 $

Note F: *Intérêts payés:* 70 000 $ × 10 % × 6/12 = 3 500 $

Note G: *Impôts payés*

Impôts à payer au début	7 000 $
+ Dépense d'impôts	10 000
− Impôts à payer à la fin	<5 000>
Déboursés	12 000 $

EXEMPLES D'ÉTATS DE L'ÉVOLUTION DE LA SITUATION FINANCIÈRE DE COMPAGNIES PUBLIQUES CANADIENNES

Pour illustrer les nouvelles recommandations du chapitre 1540 du *Manuel de l'ICCA*, cette section présente quatre extraits d'états financiers de compagnies publiques canadiennes.

Dofasco Inc.

ÉTAT CONSOLIDÉ DES MOUVEMENTS DE LA TRÉSORERIE
(en milliers de dollars)

pour l'exercice terminé le
31 décembre 1985
(avec chiffres correspondants pour 1984)

	1985	1984
RENTRÉES NETTES LIÉES AUX ACTIVITÉS D'EXPLOITATION (note 11)...	**200 107 $**	177 418 $
SORTIES NETTES LIÉES AUX ACTIVITÉS D'INVESTISSEMENT		
Installations nouvelles et matériel (déduction faite des crédits d'impôt à l'investissement: 1985 – 12 934 $, 1984 – 5 424 $) –		
Fabrication...	**166 093**	77 055
Mine et carrière..	**5 609**	6 824
Augmentation (diminution) des investissements à long terme	**18 727**	(568)
	190 429	83 311
DIVIDENDES VERSÉS...	**66 247**	48 736
RENTRÉES (SORTIES) NETTES LIÉES AUX ACTIVITÉS DE FINANCEMENT		
Actions privilégiées de catégorie C émises, moins les frais y afférents	**319 434**	—
Billets à payer émis, moins les frais y afférents	**11 729**	—
Actions ordinaires émises...................................	**53 702**	15 732
Diminution de la dette à long terme...........................	**(11 419)**	(15 728)
Réduction des actions privilégiées	**(792)**	(152 073)
	372 654	(152 069)
AUGMENTATION (DIMINUTION) NETTE DES LIQUIDITÉS	**316 085**	(106 698)
Encaisse et placements à court terme –		
Solde au début de l'exercice..............................	**217 104**	323 802
Solde à la fin de l'exercice	**533 189 $**	217 104 $

11. Fonds provenant de l'exploitation

	(en milliers de dollars)	
	1985	1984
Bénéfice net de l'exercice	170 094 $	180 605 $
Postes hors caisse –		
Amortissement	94 585	89 613
Impôts sur le revenu reportés aux exercices à venir	6 700	(14 900)
Variation du passif couru pour regarnissage des hauts fourneaux	5 385	(2 120)
Autres	499	505
Fonds supplémentaires nécessaires au fonds de roulement de l'exploitation	(77 156)	(76 285)
	200 107 $	177 418 $

CASCADES INC.

*État consolidé de l'évolution de la situation financière
pour l'exercice terminé le 31 décembre 1985*

(en milliers de dollars)

	1985	1984
ACTIVITÉS D'EXPLOITATION		
Bénéfice net pour l'exercice	19 443	12 667
Éléments n'entraînant pas de sortie de fonds:		
Amortissements, montant net	5 563	2 925
Impôts sur le revenu reportés	1 636	1 533
Participations minoritaires	1 237	461
Quote-part de la perte nette de		
filiales exclues de la consolidation	336	—
Autres	(58)	(217)
Fonds de roulement provenant de l'exploitation	28 157	17 369
Variation des éléments hors caisse du		
fonds de roulement (note 12)	(16 262)	(11 863)
Augmentation du fonds de roulement résultant		
d'écarts de conversion	4 411	184
FONDS PROVENANT DES ACTIVITÉS D'EXPLOITATION	16 306	5 690
ACTIVITÉS DE FINANCEMENT		
Augmentation de la dette à long terme	20 809	14 017
Versements sur la dette à long terme	(11 512)	(4 157)
Subventions et crédits reportés	7 130	6 423
Produit net de l'émission d'actions ordinaires	16 627	11 275
Nouvelles participations minoritaires	739	—
FONDS PROVENANT DES ACTIVITÉS		
DE FINANCEMENT	33 793	27 558
ACTIVITÉS D'INVESTISSEMENT		
Nouvelles immobilisations	32 869	30 302
Augmentation (diminution) des autres éléments d'actif	4 091	(653)
Nouvelles acquisitions d'entreprises	—	3 214
Rachat de participations minoritaires	142	—
FONDS UTILISÉS PAR LES		
ACTIVITÉS D'INVESTISSEMENT	37 102	32 863
DÉPÔTS ET PLACEMENTS À COURT TERME		
ET FINANCEMENT À RECEVOIR, déduction faite		
des emprunts et des avances bancaires		
SOLDE AU DÉBUT DE L'EXERCICE	198	(187)
Fonds provenant des activités d'exploitation	16 306	5 690
Fonds provenant des activités de financement	33 793	27 558
	50 297	33 061
Fonds utilisés par les activités d'investissement	37 102	32 863
SOLDE À LA FIN DE L'EXERCICE	13 195	198

CASCADES INC.

*12. VARIATION DES ÉLÉMENTS HORS CAISSE
DU FONDS DE ROULEMENT*

	1985	1984
	(en milliers de dollars)	
Débiteurs	24 549	15 582
Stocks	7 468	12 281
Fournisseurs et dettes courues	(16 061)	(11 834)
Impôts sur le revenu	345	14
	16 301	16 043
Moins: Augmentation du fonds de roulement résultant des acquisitions de l'exercice	—	(4 180)
Augmentation du fonds de roulement résultant de l'exclusion de filiales de la consolidation	(39)	—
Augmentation pour l'exercice	16 262	11 863

CONSOLIDATED STATEMENTS OF CHANGES IN FINANCIAL POSITION

Massey-Ferguson Limited

(Millions of U.S. Dollars)

Three months ended January 31 1983	1982 (Unaudited)		1985	Years ended January 31 1984	October 31 1982
$(5.7)	$(47.0)	**Cash provided by (used in) operations *(Note 14(c))***	**$86.9**	$44.8	$21.4
		OTHER SOURCES OF CASH			
		Investment transactions:			
4.9	0.6	Disposal of fixed assets	**8.7**	2.6	11.5
		Financing transactions:			
		Exercise of warrants	**29.6**		
		Refinancing (Note 9):			
	39.9	Issue of preferred shares			78.8
		Interest and principal waiver and conversion program			
1.3	7.5	– common shares issued	**8.0**	22.5	18.5
		– other paid-in capital	**7.6**	21.2	
(0.1)	(0.1)	Costs of restructure	**(3.8)**	(7.8)	(0.4)
1.2	47.3	Total refinancing	**11.8**	35.9	96.9
32.3	18.4	Increase in long-term debt	**36.8**	43.6	52.2
	23.3	Increase in bank borrowings			6.0
(6.7)	(0.1)	Increase (decrease) in other assets and deferred charges	**5.6**	(18.7)	(13.4)
		Increase in amounts due to unconsolidated subsidiary	**0.9**	20.8	
31.7	89.5	**Total other sources of cash**	**93.4**	84.2	153.2
		OTHER USES OF CASH			
		Investment transactions:			
		Engines division acquisition (net assets acquired of			
		$22.0 less additional borrowings of $20.7)	**1.3**		
5.3	7.5	Additions to fixed assets	**39.2**	36.3	47.4
		Investment in unconsolidated subsidiaries and			
0.3	0.3	Associate companies	**11.9**	3.0	0.7
2.2	1.9	Other	**6.1**	2.6	3.6
		Financing transactions:			
		Reductions in long-term debt (including $37.5 repaid			
2.3	23.3	on March 7, 1983 as part of the refinancing agreements)	**93.6**	115.1	57.6
27.1		Reduction in bank borrowings	**41.1**	8.0	
	9.6	Cash dividends paid			22.4
37.2	42.6	**Total other uses of cash**	**193.2**	165.0	131.7
		(Decrease) increase in cash and short-term investments			
(11.2)	(0.1)	during the period	**(12.9)**	(36.0)	42.9
108.1	65.2	**Cash and short-term investments at beginning of period**	**60.9**	96.9	65.2
$96.9	$65.1	**Cash and short-term investments at end of period**	**$48.0**	$60.9	$108.1

(c) Cash provided by (used in) operations:

						(Millions of U.S. Dollars)	
Three months					*Years ended*		
ended Jan. 31					*January 31*		*Oct. 31*
1983	*1982*				**1985**	*1984*	*1982*
	(Unaudited)						
$(94.4)	*$(73.5)*	Net income (loss) for the period		**$**	**7.2**	$(68.0)	$(413.2)
		Items not affecting working capital:					
		Depreciation, and amortiza-					
13.6	*17.2*	tion of production tooling			**32.9**	36.6	70.9
		Exchange adjustments on					
(4.8)	*(9.6)*	long-term debt			**(2.7)**	(2.5)	(41.7)
		Interest expense not involving					
3.1	*12.5*	an outlay of funds			**20.9**	29.5	33.2
		Excess (deficiency) of dividends received from Finance Subsidiaries over					
(1.4)	*(6.9)*	equity in earnings			**0.5**	26.4	(0.7)
		Net gain on disposal of investments					(2.1)
		Fixed assets and other					
7.8		asset write-downs					34.5
4.1	*(1.7)*	Other			**(16.0)**	10.4	7.5
		Working capital provided by					
(72.0)	*(62.0)*	(used in) operations			**42.8**	32.4	(311.6)
		Changes in components of working capital related to operations (except cash)					
		Decrease (increase) in current assets:					
		Receivables and due from unconsolidated					
90.9	*171.3*	subsidiaries			**38.2**	0.2	281.4
(11.2)	*(47.2)*	Inventories			**97.6**	111.1	121.2
		Prepaid expenses and other					
1.4	*(4.3)*	current assets			**10.0**	11.8	9.8
		(Decrease) increase in current liabilities:					
		Accounts payable, accrued charges and due to un-					
(14.8)	*(104.8)*	consolidated subsidiaries			**(77.1)**	(98.1)	(79.4)
		Foreign currency translation adjustment to current assets					
		and liabilities			**(24.6)**	(12.6)	
		Cash provided by (used in)					
$(5.7)	*$ (47.0)*	operations		**$**	**86.9**	$ 44.8	$ 21.4

Canadian Foremost Ltd.

Consolidated Statement of Changes in Cash Resources

For the year ended December 31, 1985

	1985	1984
Cash provided by (used in) operating activities		
Net income	**$ 2,510,000**	$ 2,040,000
Adjusted for non-cash items		
Depreciation and depletion	**293,000**	269,000
Deferred income taxes	**46,000**	212,000
Share of income of associated companies	**(304,000)**	(114,000)
Other	**—**	21,000
	2,545,000	2,428,000
Changes in non-cash working capital components		
Accounts receivable	**(8,884,000)**	7,986,000
Inventories	**(3,075,000)**	2,442,000
Accounts payable and accrued liabilities	**4,581,000**	(3,523,000)
Income taxes payable	**297,000**	178,000
Other	**3,000**	114,000
	(7,078,000)	7,197,000
Cash provided by (used in) operating activities	**(4,533,000)**	9,625,000
Cash provided by (used in) investment activities		
Purchase of property, plant and equipment	**(443,000)**	(428,000)
Proceeds from disposal of property, plant and equipment	**1,000**	5,000
Investments	**496,000**	(593,000)
Cash provided by (used in) investment activities	**54,000**	(1,016,000)
Cash used in financing activities		
Share repurchase	**—**	(2,789,000)
Dividends	**(409,000)**	(409,000)
Cash used in financing activities	**(409,000)**	(3,198,000)
Net cash increase (decrease) during the year	**(4,888,000)**	5,411,000
Cash position, beginning of year	**1,408,000**	(4,003,000)
Cash position, end of year	**$(3,480,000)**	$ 1,408,000

BIBLIOGRAPHIE

BUCHANAN. W.W. (Rédacteur), « Évolution de l'état de l'évolution », *CA Magazine*, octobre 1985, p. 72-75.

CLARK, Richard S., « Évolution de l'état de l'évolution », *CA Magazine*, février 1983, p.34-39.

INSTITUT CANADIEN DES COMPTABLES AGRÉÉS, *Manuel de l'ICCA*, en particulier le chapitre 1540 sur l'état de l'évolution de la situation financière, p. 281-284.

SYLVAIN, Fernand, A.N. MOSICH et E.J. LARSEN, *Comptabilité intermédiaire, Théorie comptable et modalités d'application*, Mc Graw-Hill Éditeurs, 2ᵉ édition, 1984.

NOTES

NOTES

NOTES

NOTES

NOTES

Achevé d'imprimer
sur les presses
des Ateliers Graphiques Marc Veilleux Inc.
Cap-Saint-Ignace, Qué.